我繪弟子規

國立臺灣師範大學

「品德教育繪本結合鏈接圖識字教學」
計畫之實驗性教材

郭恩慈 張瓅勻 陳學志 著｜張育菁 郭順霖 繪

愛上學習
從閱讀開始

萬卷樓

編寫理念

這是本可以讓國小低中年級學生輕鬆學習《弟子規》的書，透過親子共讀的設計，使小朋友養成良好的品德。

每一篇故事都對應《弟子規》的內容，能從有趣的故事知道《弟子規》的道理，還能學會重要又簡單的字。

在書的最後有主角小饅頭貼紙，當小朋友完成任務後，請大人幫忙貼上作為鼓勵！

目錄

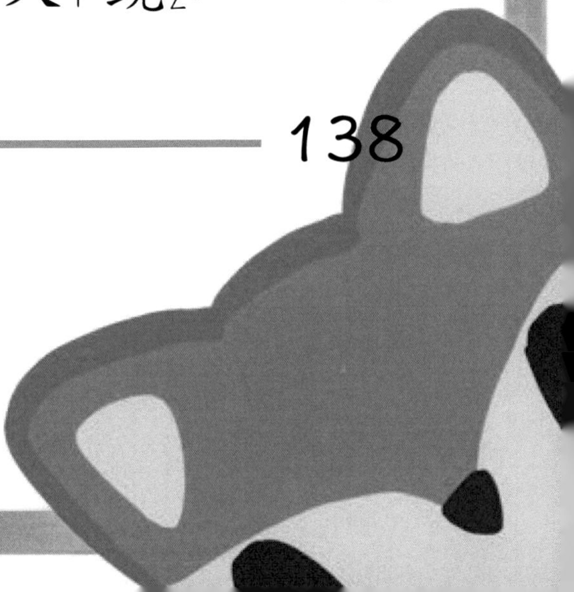

我ㄨㄛˇ是ㄕˋ松ㄙㄨㄥ松ㄙㄨㄥ，
我ㄨㄛˇ最ㄗㄨㄟˋ愛ㄞˋ吃ㄔ松ㄙㄨㄥ果ㄍㄨㄛˇ。

我ㄨㄛˇ是ㄕˋ果ㄍㄨㄛˇ果ㄍㄨㄛˇ，
我ㄨㄛˇ最ㄗㄨㄟˋ喜ㄒㄧˇ歡ㄏㄨㄢ的ㄉㄜ˙人ㄖㄣˊ
是ㄕˋ松ㄙㄨㄥ松ㄙㄨㄥ哥ㄍㄜ哥ㄍㄜ˙。

我ㄨㄛˇ是ㄕˋ喵ㄇㄧㄠ喵ㄇㄧㄠ，
我ㄨㄛˇ喜ㄒㄧˇ歡ㄏㄨㄢ看ㄎㄢˋ書ㄕㄨ。

我ㄨㄛˇ是ㄕˋ咪ㄇㄧ咪ㄇㄧ，
我ㄨㄛˇ喜ㄒㄧˇ歡ㄏㄨㄢ照ㄓㄠˋ相ㄒㄧㄤˋ。

我（ㄨㄛˇ）是（ㄕˋ）菲（ㄈㄟ）菲（ㄈㄟ），
我（ㄨㄛˇ）熱（ㄖㄜˋ）愛（ㄞˋ）飛（ㄈㄟ）翔（ㄒㄧㄤˊ）。

我（ㄨㄛˇ）是（ㄕˋ）莉（ㄌㄧˋ）莉（ㄌㄧˋ），
我（ㄨㄛˇ）喜（ㄒㄧˇ）歡（ㄏㄨㄢ）穿（ㄔㄨㄢ）美（ㄇㄟˇ）麗（ㄌㄧˋ）
的（ㄉㄜ）裙（ㄑㄩㄣˊ）子（ㄗ）。

我ㄨㄛˇ是ㄕˋ鼓ㄍㄨˇ鼓ㄍㄨˇ，
我ㄨㄛˇ每ㄇㄟˇ天ㄊㄧㄢ
準ㄓㄨㄣˇ時ㄕˊ起ㄑㄧˇ床ㄔㄨㄤˊ。

我ㄨㄛˇ是ㄕˋ點ㄉㄧㄢˇ點ㄉㄧㄢˇ，
我ㄨㄛˇ最ㄗㄨㄟˋ喜ㄒㄧˇ歡ㄏㄨㄢ
我ㄨㄛˇ的ㄉㄜ˙點ㄉㄧㄢˇ點ㄉㄧㄢˇ眉ㄇㄟˊ毛ㄇㄠˊ。

爸爸給的禮物

我ㄨˇ的ㄉㄜ˙ 目ㄇㄨˋ 標ㄅㄧㄠ

★ 能ㄋㄥˊ認ㄖㄣˋ識ㄕˋ《弟ㄉㄧˋ子ㄗˇ規ㄍㄨㄟ》。

★ 能ㄋㄥˊ了ㄌㄧㄠˇ解ㄐㄧㄝˇ孝ㄒㄧㄠˋ順ㄕㄨㄣˋ的ㄉㄜ˙ 重ㄓㄨㄥˋ要ㄧㄠˋ。

★ 能ㄋㄥˊ養ㄧㄤˇ成ㄔㄥˊ仔ㄗˇ細ㄒㄧˋ聆ㄌㄧㄥˊ聽ㄊㄧㄥ的ㄉㄜ˙ 習ㄒㄧˊ慣ㄍㄨㄢˋ。

菲ㄈㄟ菲ㄈㄟ： 莉ㄌㄧ莉ㄌㄧ， 爸ㄅㄚ爸ㄅㄚ送ㄙㄨㄥ了ㄌㄜ我ㄨㄛ
　　　　 一ㄧ本ㄅㄣ書ㄕㄨ， 讓ㄖㄤ我ㄨㄛ和ㄏㄜ你ㄋㄧ
　　　　 一ㄧ起ㄑㄧ讀ㄉㄨ。

莉ㄌㄧ莉ㄌㄧ： 真ㄓㄣ的ㄉㄜ嗎ㄇㄚ？ 太ㄊㄞ開ㄎㄞ心ㄒㄧㄣ了ㄌㄜ！

菲ㄈㄟ菲ㄈㄟ： 爸ㄅㄚ爸ㄅㄚ還ㄏㄞ說ㄕㄨㄛ讀ㄉㄨ完ㄨㄢ這ㄓㄜ本ㄅㄣ書ㄕㄨ，
　　　　 可ㄎㄜ以ㄧ變ㄅㄧㄢ成ㄔㄥ大ㄉㄚ家ㄐㄧㄚ喜ㄒㄧ歡ㄏㄨㄢ的ㄉㄜ
　　　　 小ㄒㄧㄠ孩ㄏㄞ！

莉莉： 姐姐， 我們快點
來看書。

菲ㄈㄟ菲ㄈㄟ：《我ㄨㄛˇ「繪ㄏㄨㄟˋ」弟ㄉㄧˋ子ㄗˇ規ㄍㄨㄟ》？
是ㄕˋ不ㄅㄨˊ是ㄕˋ寫ㄒㄧㄝˇ錯ㄘㄨㄛˋ字ㄗˋ？
應ㄧㄥ該ㄍㄞ是ㄕˋ《我ㄨㄛˇ「會ㄏㄨㄟˋ」
弟ㄉㄧˋ子ㄗˇ規ㄍㄨㄟ》吧ㄅㄚ！

莉ㄌㄧˋ莉ㄌㄧ：　可ㄎㄜˇ能ㄋㄥˊ是ㄕˋ繪ㄏㄨㄟˋ本ㄅㄣˇ喔ㄛ！

菲ㄈㄟ菲ㄈㄟ：　我ㄨㄛˇ們ㄇㄣ打ㄉㄚˇ開ㄎㄞ來ㄌㄞˊ看ㄎㄢˋ看ㄎㄢ，
　　　　　　到ㄉㄠˋ底ㄉㄧˇ是ㄕˋ什ㄕㄣˊ麼ㄇㄜ吧ㄅㄚ！

莉ㄌㄧˋ莉ㄌㄧˋ：我ㄨㄛˇ猜ㄘㄞ對ㄉㄨㄟˋ了ㄌㄜ！我ㄨㄛˇ還ㄏㄞˊ發ㄈㄚ現ㄒㄧㄢˋ這ㄓㄜˋ本ㄅㄣˇ書ㄕㄨ有ㄧㄡˇ很ㄏㄣˇ特ㄊㄜˋ別ㄅㄧㄝˊ的ㄉㄜ圖ㄊㄨˊ案ㄢˋ。

這時爸爸在他們的後面說：
孔子是以前很厲害的老師。

孔子告訴每個人，
孝順是最重要的，
還有和每個人都要
相親相愛。

菲菲和莉莉笑著說：
我們知道了！

爸爸：你們平常做到了嗎？

爸ㄅㄚˋ爸ㄅㄚˋ： 另ㄌㄧㄥˋ外ㄨㄞˋ， 做ㄗㄨㄛˋ事ㄕˋ要ㄧㄠˋ小ㄒㄧㄠˇ心ㄒㄧㄣ
謹ㄐㄧㄣˇ慎ㄕㄣˋ， 才ㄘㄞˊ不ㄅㄨˋ會ㄏㄨㄟˋ常ㄔㄤˊ常ㄔㄤˊ
做ㄗㄨㄛˋ錯ㄘㄨㄛˋ事ㄕˋ； 答ㄉㄚ應ㄧㄥ爸ㄅㄚˋ爸ㄅㄚˋ
媽ㄇㄚ媽ㄇㄚ的ㄉㄜ˙事ㄕˋ要ㄧㄠˋ做ㄗㄨㄛˋ到ㄉㄠˋ，
不ㄅㄨˋ能ㄋㄥˊ說ㄕㄨㄛ話ㄏㄨㄚˋ不ㄅㄨˋ算ㄙㄨㄢˋ話ㄏㄨㄚˋ；
也ㄧㄝˇ要ㄧㄠˋ常ㄔㄤˊ跟ㄍㄣ善ㄕㄢˋ良ㄌㄧㄤˊ的ㄉㄜ˙人ㄖㄣˊ
相ㄒㄧㄤ處ㄔㄨˇ。

爸爸：孔子還說要好好認真
讀書和學習才藝。
你們作業寫完了嗎？
今天有沒有練琴？

菲菲和莉莉快速的逃跑了！

菲菲：　我們快點去寫作業，
　　　　不然爸爸要生氣了！

砰!

我ㄨㄛˇ會ㄏㄨㄟˋ《弟ㄉㄧˋ子ㄗˇ規ㄍㄨㄟ》

弟ㄉㄧˋ子ㄗˇ規ㄍㄨㄟ，　聖ㄕㄥˋ人ㄖㄣˊ訓ㄒㄩㄣˋ；

首ㄕㄡˇ孝ㄒㄧㄠˋ弟ㄊㄧˋ，　次ㄘˋ謹ㄐㄧㄣˇ信ㄒㄧㄣˋ。

汎ㄈㄢˋ愛ㄞˋ眾ㄓㄨㄥˋ，　而ㄦˊ親ㄑㄧㄣ仁ㄖㄣˊ；

有ㄧㄡˇ餘ㄩˊ力ㄌㄧˋ，　則ㄗㄜˊ學ㄒㄩㄝˊ文ㄨㄣˊ。

什麼意思？

《弟子規》是依照至聖先師孔子的教導而寫的生活規定。在所有道理中，最重要的是孝順長輩，並和兄弟姐妹相親相愛；做事要小心謹慎，說話要算話。

關心、愛護每個人；常和仁慈的人相處，並向他們學習。如果這些道理都做到後，還有時間和力氣，要好好認真讀書和學習才藝。

猜猜看這是什麼字？

請從下方選出最像的字卡，擺入第27頁和第31頁的空格中。

在 ㄗㄞˋ	首 ㄕㄡˇ	文 ㄨㄣˊ
力 ㄌㄧˋ	友 ㄧㄡˇ	愛 ㄞˋ
人 ㄖㄣˊ	子 ㄗˇ	有 ㄧㄡˇ

字卡在第138頁，剪下來使用。

我ㄨㄛˇ是ㄕˋ大ㄉㄚˋ偵ㄓㄣ探ㄊㄢˋ

請ㄑㄧㄥˇ剪ㄐㄧㄢˇ下ㄒㄧㄚˋ第ㄉㄧˋ138頁ㄧㄝˋ的ㄉㄜ字ㄗˋ，
看ㄎㄢˋ看ㄎㄢˋ哪ㄋㄚˇ個ㄍㄜˋ字ㄗˋ最ㄗㄨㄟˋ像ㄒㄧㄤˋ下ㄒㄧㄚˋ面ㄇㄧㄢˋ
的ㄉㄜ圖ㄊㄨˊ， 擺ㄅㄞˇ到ㄉㄠˋ格ㄍㄜˊ子ㄗˇ裡ㄌㄧˇ。

我會寫國字

先描三次，再寫三次。

子 ㄗˇ	子 ㄗˇ	子 ㄗˇ
人 ㄖㄣˊ	人 ㄖㄣˊ	人 ㄖㄣˊ
首 ㄕㄡˇ	首 ㄕㄡˇ	首 ㄕㄡˇ

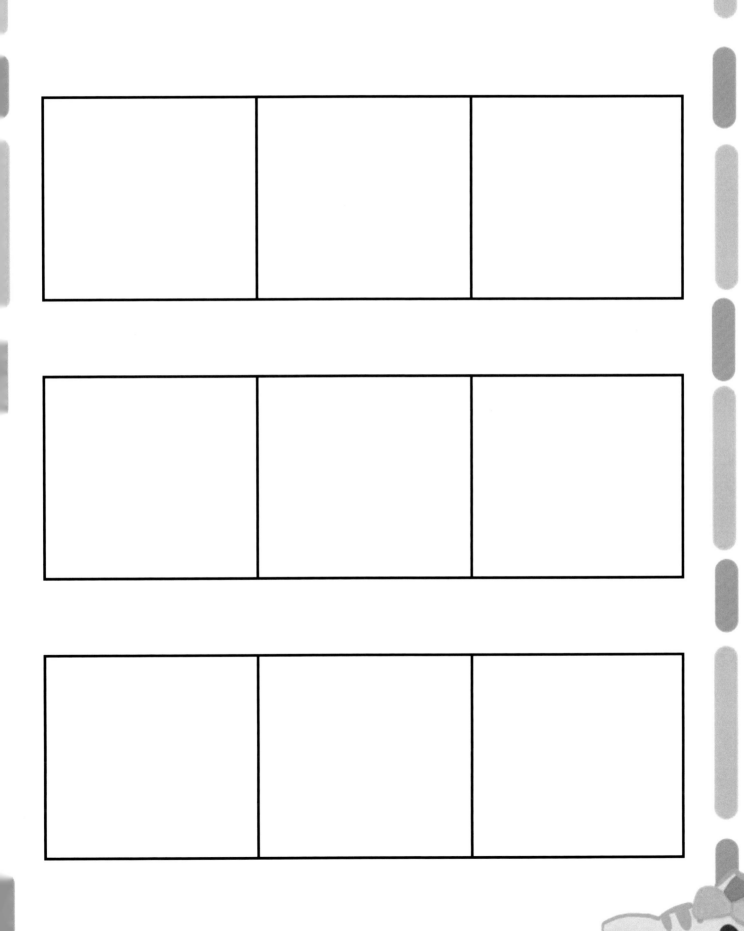

我ㄨㄛˇ認ㄖㄣˋ識ㄕˋ國ㄍㄨㄛˊ字ㄗˋ

解ㄐㄧㄝˇ釋ㄕˋ： 嬰ㄧㄥ兒ㄦˊ包ㄅㄠ著ㄓㄜˊ被ㄅㄟˋ子ㄗˇ；
「子ㄗˇ」也ㄧㄝˇ唸ㄋㄧㄢˋ「子ㄗ」。
詞ㄘˊ語ㄩˇ： 兒ㄦˊ子ㄗˇ、 子ㄗˇ女ㄋㄩˇ

解ㄐㄧㄝˇ釋ㄕˋ： 一ㄧˊ個ㄍㄜˋ人ㄖㄣˊ把ㄅㄚˇ兩ㄌㄧㄤˇ腳ㄐㄧㄠ
張ㄓㄤ開ㄎㄞ站ㄓㄢˋ立ㄌㄧˋ的ㄉㄜˊ樣ㄧㄤˋ子ㄗˇ。
詞ㄘˊ語ㄩˇ： 家ㄐㄧㄚ人ㄖㄣˊ、 男ㄋㄢˊ人ㄖㄣˊ

解ㄐㄧㄝˇ釋ㄕˋ： 像ㄒㄧㄤˋ鹿ㄌㄨˋ的ㄉㄜˊ頭ㄊㄡˊ， 頭ㄊㄡˊ
是ㄕˋ身ㄕㄣ體ㄊㄧˇ很ㄏㄣˇ重ㄓㄨˋ要ㄧㄠˋ的ㄉㄜˊ部ㄅㄨˋ分ㄈㄣ。
詞ㄘˊ語ㄩˇ： 首ㄕㄡˇ要ㄧㄠˋ、 首ㄕㄡˇ先ㄒㄧㄢ

我ㄨㄛ是ㄕ大ㄉㄚ偵ㄓㄣ探ㄊㄢ

請ㄑㄧㄥ剪ㄐㄧㄢ下ㄒㄧㄚ第ㄉㄧ138頁ㄧㄝ的ㄉㄜ字ㄗ，
看ㄎㄢ看ㄎㄢ哪ㄋㄚ個ㄍㄜ字ㄗ最ㄗㄨㄟ像ㄒㄧㄤ下ㄒㄧㄚ面ㄇㄧㄢ
的ㄉㄜ圖ㄊㄨ，擺ㄅㄞ到ㄉㄠ格ㄍㄜ子ㄗ裡ㄌㄧ。

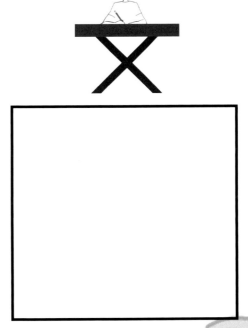

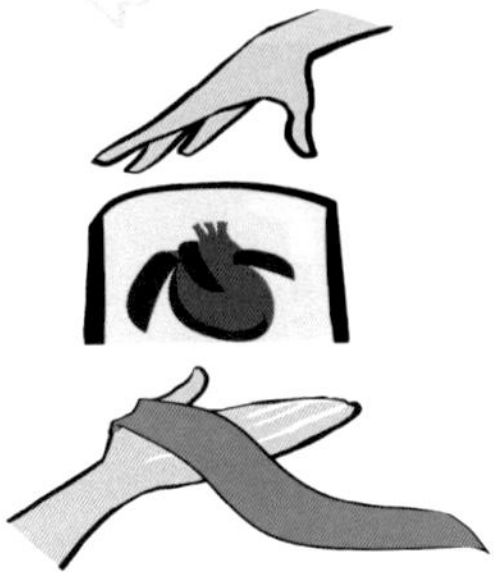

我(ㄨㄛˇ)會(ㄏㄨㄟˋ)寫(ㄒㄧㄝˇ)國(ㄍㄨㄛˊ)字(ㄗˋ)

先(ㄒㄧㄢ)描(ㄇㄧㄠˊ)三(ㄙㄢ)次(ㄘˋ)，再(ㄗㄞˋ)寫(ㄒㄧㄝˇ)三(ㄙㄢ)次(ㄘˋ)。

愛 ㄞˋ	愛 ㄞˋ	愛 ㄞˋ
有 ㄧㄡˇ	有 ㄧㄡˇ	有 ㄧㄡˇ
力 ㄌㄧˋ	力 ㄌㄧˋ	力 ㄌㄧˋ
文 ㄨㄣˊ	文 ㄨㄣˊ	文 ㄨㄣˊ

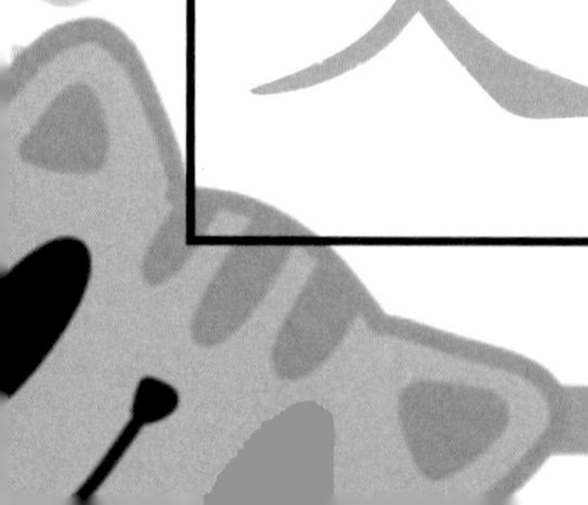

我ㄨㄛˇ認ㄖㄣˋ識ㄕˋ國ㄍㄨㄛˊ字ㄗˋ

解ㄐㄧㄝˇ釋ㄕˋ： 用ㄩㄥˋ手ㄕㄡˇ保ㄅㄠˇ護ㄏㄨˋ放ㄈㄤˋ在ㄗㄞˋ
玻ㄅㄛ璃ㄌㄧˊ瓶ㄆㄧㄥˊ內ㄋㄟˋ的ㄉㄜ˙心ㄒㄧㄣ臟ㄗㄤˋ，
下ㄒㄧㄚˋ方ㄈㄤ還ㄏㄞˊ放ㄈㄤˋ了ㄌㄜ˙手ㄕㄡˇ帕ㄆㄚˋ，
表ㄅㄧㄠˇ示ㄕˋ很ㄏㄣˇ愛ㄞˋ惜ㄒㄧ。

詞ㄘˊ語ㄩˇ： 可ㄎㄜˇ愛ㄞˋ、 愛ㄞˋ心ㄒㄧㄣ

解ㄐㄧㄝˇ釋ㄕˋ： 帳ㄓㄤˋ篷ㄆㄥ裡ㄌㄧˇ面ㄇㄧㄢˋ有ㄧㄡˇ肉ㄖㄡˋ，
表ㄅㄧㄠˇ示ㄕˋ東ㄉㄨㄥ西ㄒㄧ的ㄉㄜ˙存ㄘㄨㄣˊ在ㄗㄞˋ。

詞ㄘˊ語ㄩˇ： 有ㄧㄡˇ錢ㄑㄧㄢˊ、 持ㄔˊ有ㄧㄡˇ

解ㄐㄧㄝˇ釋ㄕˋ： 一ㄧˊ個ㄍㄜˋ人ㄖㄣˊ左ㄗㄨㄛˇ手ㄕㄡˇ向ㄒㄧㄤˋ
外ㄨㄞˋ彎ㄨㄢ曲ㄑㄩ， 露ㄌㄡˋ出ㄔㄨ肌ㄐㄧ肉ㄖㄡˋ，
表ㄅㄧㄠˇ示ㄕˋ他ㄊㄚ的ㄉㄜ˙力ㄌㄧˋ氣ㄑㄧˋ很ㄏㄣˇ大ㄉㄚˋ。

詞ㄘˊ語ㄩˇ： 力ㄌㄧˋ量ㄌㄧㄤˋ、 努ㄋㄨˇ力ㄌㄧˋ

解ㄐㄧㄝˇ釋ㄕˋ： 像ㄒㄧㄤˋ一ㄧˊ個ㄍㄜˋ人ㄖㄣˊ坐ㄗㄨㄛˋ在ㄗㄞˋ
桌ㄓㄨㄛ子ㄗ˙前ㄑㄧㄢˊ用ㄩㄥˋ筆ㄅㄧˇ寫ㄒㄧㄝˇ字ㄗˋ，
意ㄧˋ思ㄙ˙是ㄕˋ文ㄨㄣˊ學ㄒㄩㄝˊ。

詞ㄘˊ語ㄩˇ： 英ㄧㄥ文ㄨㄣˊ、 文ㄨㄣˊ化ㄏㄨㄚˋ

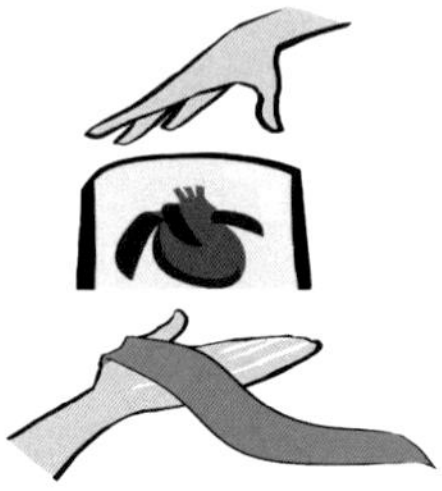

國字演變圖

 → 子 → 子

 → 人 → 人

 → 首 → 首

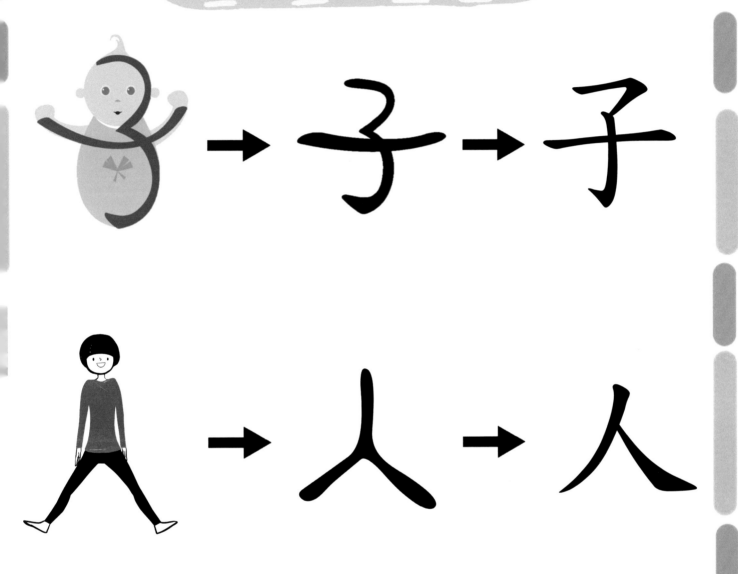

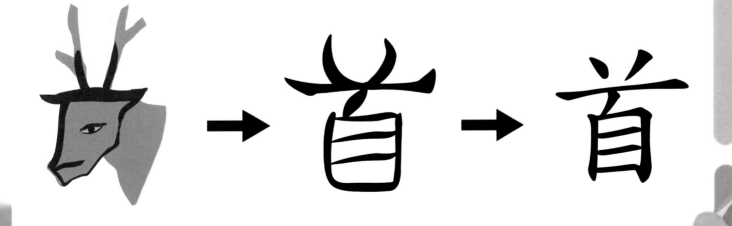

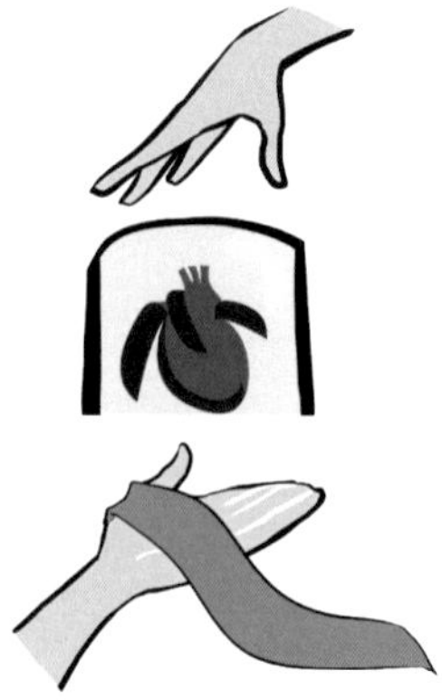 →  → 愛

 →  → 有

 →  → 力

 → 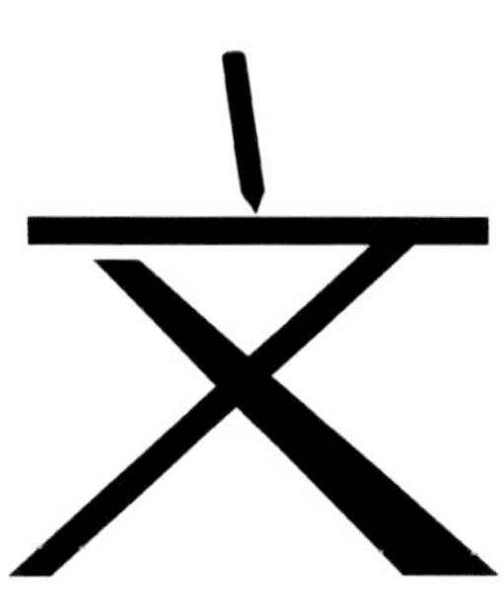 → 文

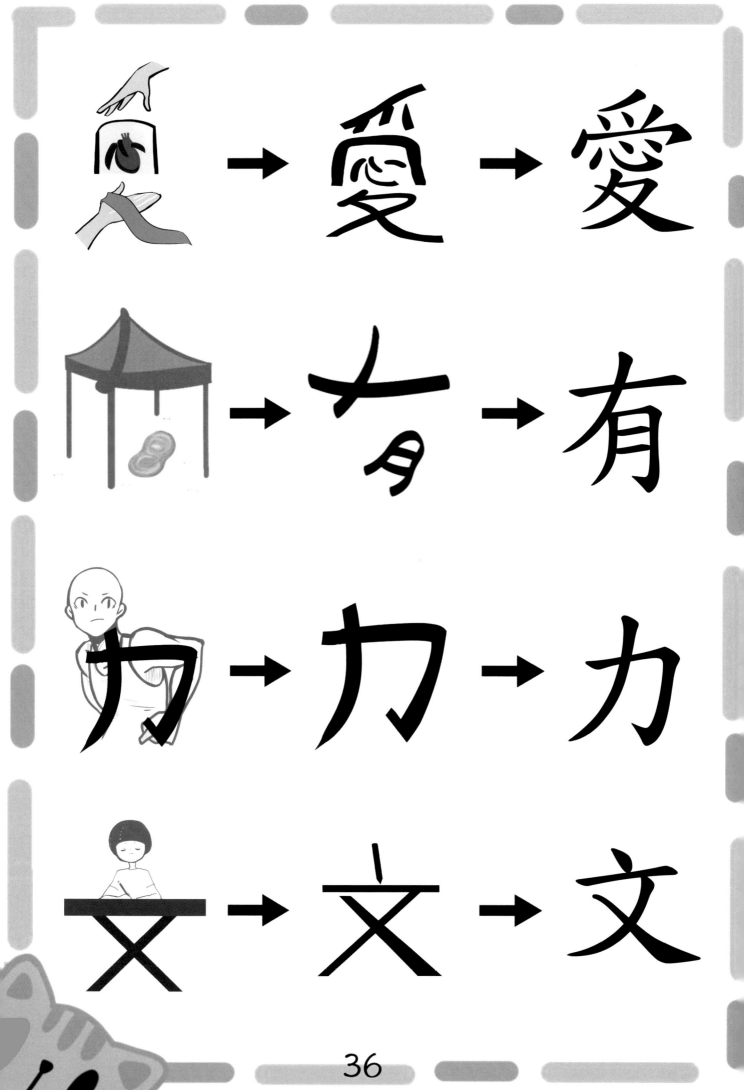

我可以做到！

完成任務可以請爸爸媽媽在空格處貼上小饅頭貼紙。

孝順長輩。	
和兄弟姐妹相親相愛。	
做事小心謹慎。	
說話算話。	
關心、愛護每個人。	
常和仁慈的人相處。	
認真讀書和學習才藝。	

貼紙在第142頁。

聖誕禮物

我ㄨㄛˇ的ㄉㄜ˙目ㄇㄨˋ標ㄅㄧㄠ

★ 能ㄋㄥˊ和ㄏㄜˊ兄ㄒㄩㄥ弟ㄉㄧˋ姐ㄐㄧㄝˇ妹ㄇㄟˋ或ㄏㄨㄛˋ朋ㄆㄥˊ友ㄧㄡˇ
　和ㄏㄜˊ平ㄆㄧㄥˊ相ㄒㄧㄤ處ㄔㄨˇ。

★ 能ㄋㄥˊ養ㄧㄤˇ成ㄔㄥˊ樂ㄌㄜˋ意ㄧˋ與ㄩˇ他ㄊㄚ人ㄖㄣˊ
　分ㄈㄣ享ㄒㄧㄤˇ的ㄉㄜ˙習ㄒㄧˊ慣ㄍㄨㄢˋ與ㄩˇ態ㄊㄞˋ度ㄉㄨˋ。

★ 能ㄋㄥˊ包ㄅㄠ容ㄖㄨㄥˊ、原ㄩㄢˊ諒ㄌㄧㄤˋ別ㄅㄧㄝˊ人ㄖㄣˊ。

聖誕節到了。
聖誕樹下，
是松松和
果果的禮物。

松ㄙㄨㄥ松ㄙㄨㄥ起ㄑㄧ床ㄔㄨㄤˊ後ㄏㄡˋ， 看ㄎㄢˋ見ㄐㄧㄢˋ果ㄍㄨㄛˇ果ㄍㄨㄛˇ
在ㄗㄞˋ拆ㄔㄞ禮ㄌㄧˇ物ㄨˋ， 也ㄧㄝˇ興ㄒㄧㄥ奮ㄈㄣˋ的ㄉㄜ跑ㄆㄠˇ
過ㄍㄨㄛˋ去ㄑㄩˋ拆ㄔㄞ自ㄗˋ己ㄐㄧˇ的ㄉㄜ禮ㄌㄧˇ物ㄨˋ。

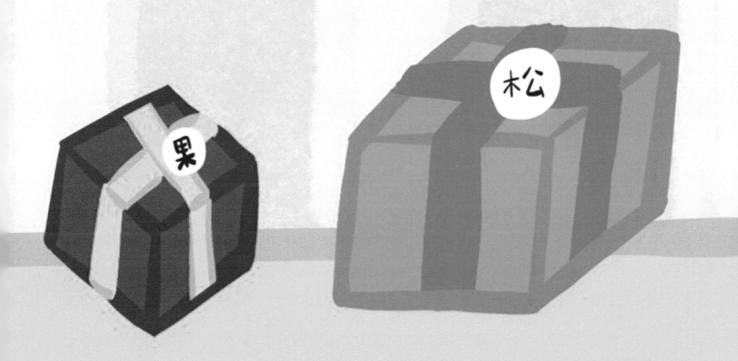

果（ㄍㄨㄛˇ）果（ㄍㄨㄛˇ）開（ㄎㄞ）心（ㄒㄧㄣ）的（ㄉㄜ˙）說（ㄕㄨㄛ）：
是（ㄕˋ）我（ㄨㄛˇ）最（ㄗㄨㄟˋ）喜（ㄒㄧˇ）歡（ㄏㄨㄢ）的（ㄉㄜ˙）小（ㄒㄧㄠˇ）汽（ㄑㄧˋ）車（ㄔㄜ）！

松松拆開禮物後，
發現是一本故事書。

松松難過的說：
可是我也想要小汽車。

松ㄙㄨㄥ松ㄙㄨㄥ把ㄅㄚˇ小ㄒㄧㄠˇ汽ㄑㄧˋ車ㄔㄜ搶ㄑㄧㄤ過ㄍㄨㄛˋ來ㄌㄞˊ，
果ㄍㄨㄛˇ果ㄍㄨㄛˇ力ㄌㄧˋ氣ㄑㄧˋ比ㄅㄧˇ松ㄙㄨㄥ松ㄙㄨㄥ小ㄒㄧㄠˇ，
搶ㄑㄧㄤ不ㄅㄨˋ贏ㄧㄥˊ只ㄓˇ好ㄏㄠˇ大ㄉㄚˋ哭ㄎㄨ大ㄉㄚˋ叫ㄐㄧㄠˋ。

果果：　哥哥搶我的玩具！

松松：　你年紀小，
搶不贏就先讓
我玩啊！

媽媽聽到吵鬧聲走了過來。

媽媽嚴厲的說：
松松，這是弟弟的玩具！
你不能搶，要跟弟弟借。
不能說不好聽的話傷害弟弟！

你ㄋㄧˇ如ㄖㄨˊ果ㄍㄨㄛˇ欺ㄑㄧ負ㄈㄨˋ弟ㄉㄧˋ弟ㄉㄧˋ，被ㄅㄟˋ聖ㄕㄥˋ誕ㄉㄢˋ老ㄌㄠˇ公ㄍㄨㄥ公ㄍㄨㄥ看ㄎㄢˋ見ㄐㄧㄢˋ，就ㄐㄧㄡˋ沒ㄇㄟˊ有ㄧㄡˇ玩ㄨㄢˊ具ㄐㄩˋ了ㄌㄜ！

松松ㄙㄨㄥㄙㄨㄥ：　好ㄏㄠ吧ㄅㄚ！　我ㄨㄛ先ㄒㄧㄢ看ㄎㄢ故ㄍㄨ事ㄕ書ㄕㄨ，
　　　　等ㄉㄥ等ㄉㄥ再ㄗㄞ跟ㄍㄣ弟ㄉㄧ弟ㄉㄧ借ㄐㄧㄝ來ㄌㄞ玩ㄨㄢ。

果果慢慢的走到松松身邊。

果果：　我也想看故事書，你可以唸故事給我聽嗎？聽完故事我們一起玩，小汽車借你，我玩大卡車。

松松開心的說：　好！

兩兄弟互相分享彼此的聖誕禮物，就像一個人得到兩個禮物！

聖誕老公公看到這一幕，
開心的笑著。
「HO-HO-HO-」

我會《弟子規》

兄道友，弟道恭；

兄弟睦，孝在中。

財物輕，怨何生；

言語忍，忿自泯。

什麼意思？

哥哥姐姐友愛弟弟妹妹，弟弟妹妹尊敬哥哥姐姐。兄弟姐妹和平相處，不惹爸爸媽媽生氣，是孝順的表現，一家人都開開心心。

不要斤斤計較、生氣，要多和別人分享玩具。說話要多包容、諒解對方，就不會吵架。

車 ㄔㄜ	言 ㄧㄢˊ	ㄊㄡˇ
在 ㄗㄞˋ	生 ㄕㄥ	ㄧㄡˇ
不 ㄅㄨˋ	中 ㄓㄨㄥ	出 ㄔㄨ

字ㄗˋ卡ㄎㄚˇ在ㄗㄞˋ第ㄉㄧˋ139頁ㄧㄝˋ，剪ㄐㄧㄢ下ㄒㄧㄚ來ㄌㄞˊ使ㄕˇ用ㄩㄥˋ。

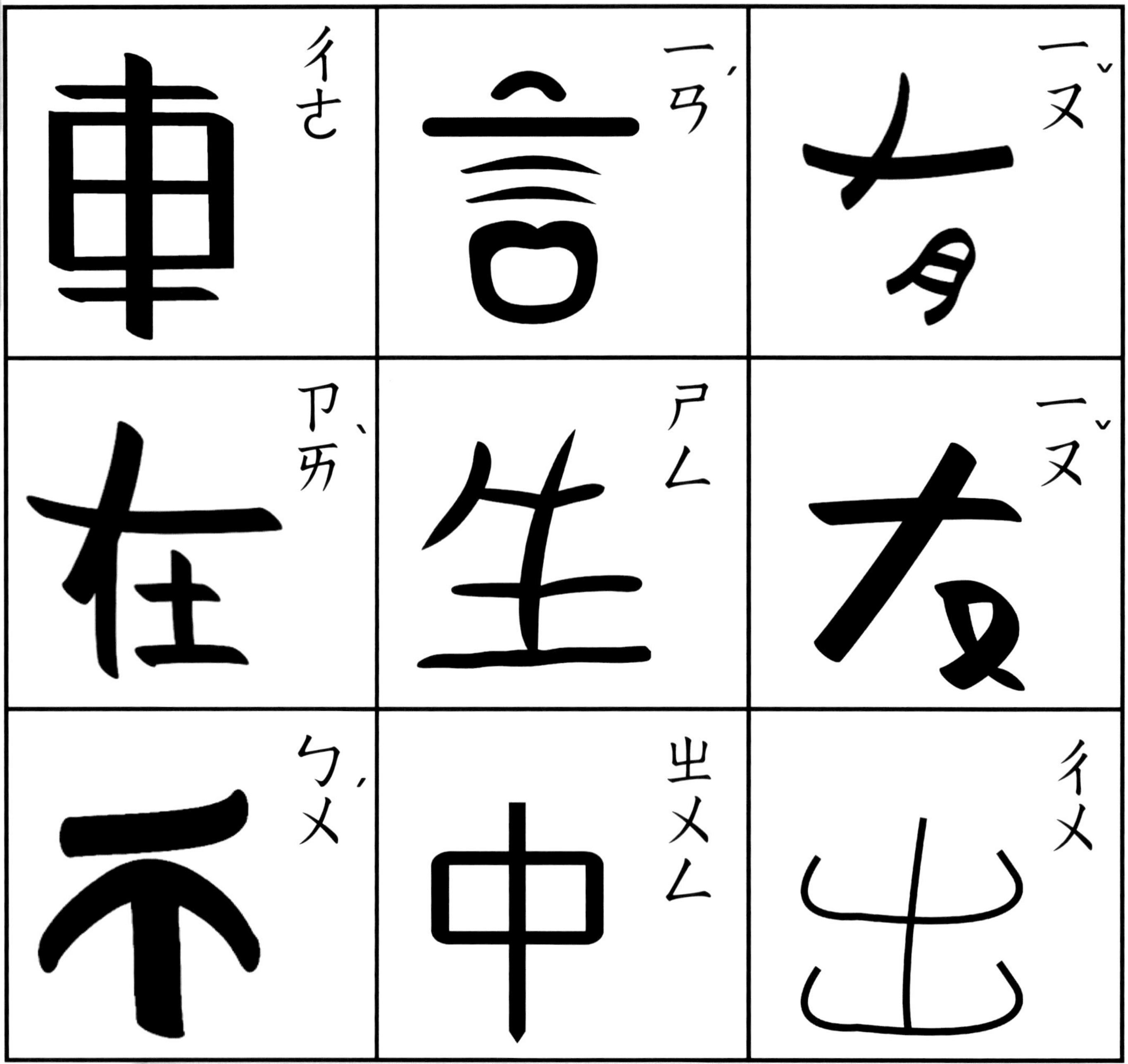

我ㄨㄛˇ是ㄕˋ大ㄉㄚˋ偵ㄓㄣ探ㄊㄢˋ

請ㄑㄧㄥˇ剪ㄐㄧㄢˇ下ㄒㄧㄚˋ第ㄉㄧˋ139頁ㄧㄝˋ的ㄉㄜ字ㄗˋ，看ㄎㄢˋ看ㄎㄢˋ哪ㄋㄚˇ個ㄍㄜˋ字ㄗˋ最ㄗㄨㄟˋ像ㄒㄧㄤˋ下ㄒㄧㄚˋ面ㄇㄧㄢˋ的ㄉㄜ圖ㄊㄨˊ，擺ㄅㄞˇ到ㄉㄠˋ格ㄍㄜˊ子ㄗˇ裡ㄌㄧˇ。

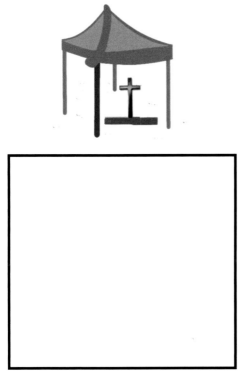

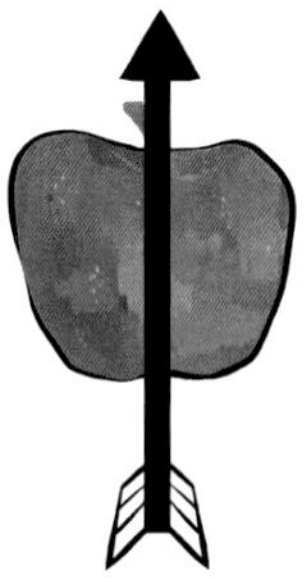

友 ㄧㄡˇ	友 ㄧㄡˇ	友 ㄧㄡˇ
在 ㄗㄞˋ	在 ㄗㄞˋ	在 ㄗㄞˋ
中 ㄓㄨㄥ	中 ㄓㄨㄥ	中 ㄓㄨㄥ

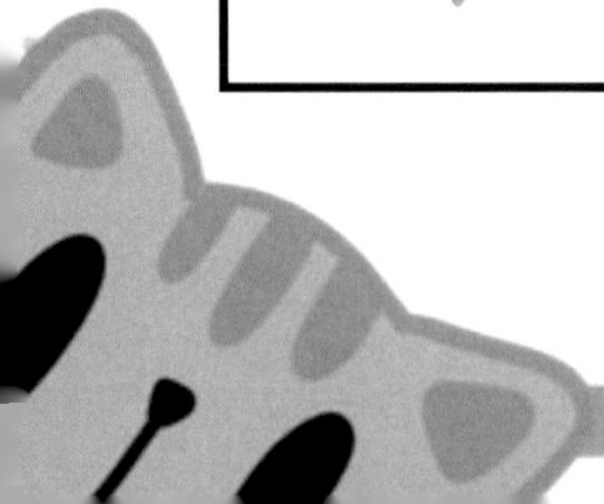

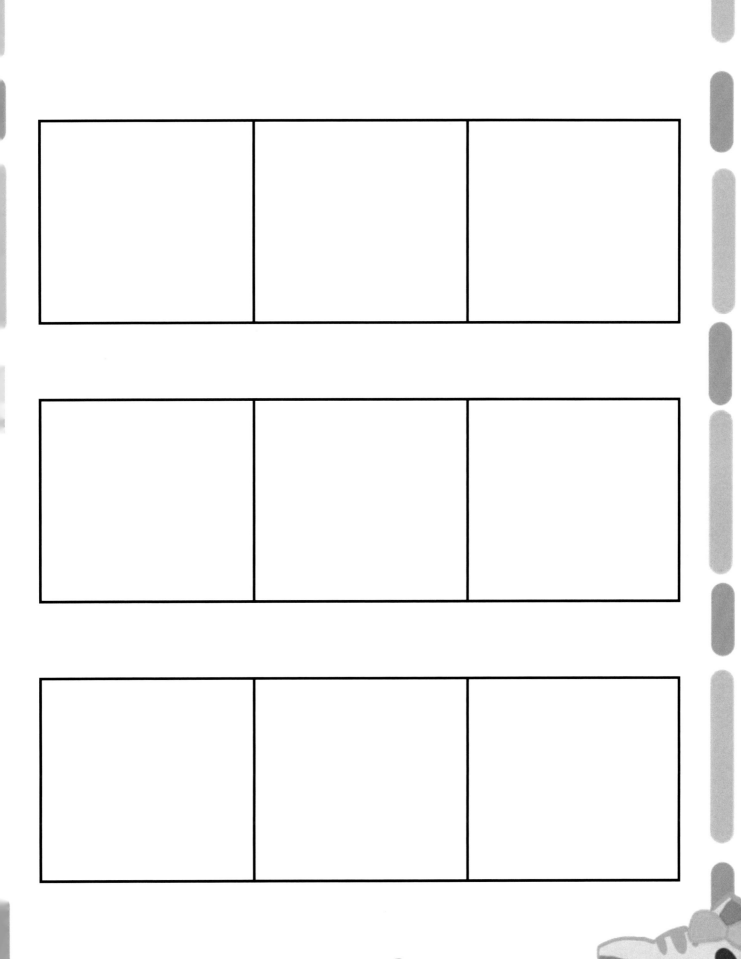

我ㄨㄛˇ認ㄖㄣˋ識ㄕˋ國ㄍㄨㄛˊ字ㄗˋ

解ㄐㄧㄝˇ釋ㄕˋ： 好ㄏㄠˇ朋ㄆㄥˊ友ㄧㄡˇ下ㄒㄧㄚˋ雨ㄩˇ時ㄕˊ會ㄏㄨㄟˋ幫ㄅㄤ你ㄋㄧˇ撐ㄔㄥ傘ㄙㄢˇ。

詞ㄘˊ語ㄩˇ： 朋ㄆㄥˊ友ㄧㄡˇ、 友ㄧㄡˇ愛ㄞˋ

解ㄐㄧㄝˇ釋ㄕˋ： 在ㄗㄞˋ帳ㄓㄤˋ篷ㄆㄥˊ下ㄒㄧㄚˋ的ㄉㄜ土ㄊㄨˇ地ㄉㄧˋ。

詞ㄘˊ語ㄩˇ： 現ㄒㄧㄢˋ在ㄗㄞˋ、 在ㄗㄞˋ家ㄐㄧㄚ

解ㄐㄧㄝˇ釋ㄕˋ： 像ㄒㄧㄤˋ一ㄧ枝ㄓ箭ㄐㄧㄢˋ貫ㄍㄨㄢˋ穿ㄔㄨㄢ一ㄧ顆ㄎㄜˉ蘋ㄆㄧㄥˊ果ㄍㄨㄛˇ中ㄓㄨㄥ間ㄐㄧㄢ。

詞ㄘˊ語ㄩˇ： 中ㄓㄨㄥ午ㄨˇ、 中ㄓㄨㄥ心ㄒㄧㄣ

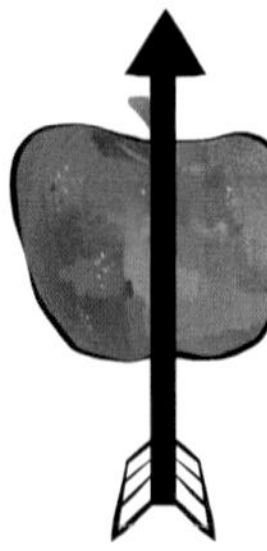

我ㄨㄛ是ㄕ大ㄉㄚ偵ㄓㄣ探ㄊㄢ

請ㄑㄧㄥ剪ㄐㄧㄢ下ㄒㄧㄚ第ㄉㄧ139頁ㄧㄝ的ㄉㄜ字ㄗ，
看ㄎㄢ看ㄎㄢ哪ㄋㄚ個ㄍㄜ字ㄗ最ㄗㄨㄟ像ㄒㄧㄤ下ㄒㄧㄚ面ㄇㄧㄢ
的ㄉㄜ圖ㄊㄨ， 擺ㄅㄞ到ㄉㄠ格ㄍㄜ子ㄗ裡ㄌㄧ。

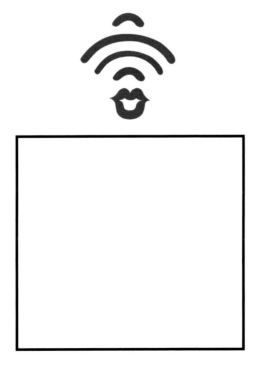

生 ㄕ
ㄥ

生 ㄕ
ㄥ

生 ㄕ
ㄥ

言 ㄧ
ㄢˊ

言 ㄧ
ㄢˊ

言 ㄧ
ㄢˊ

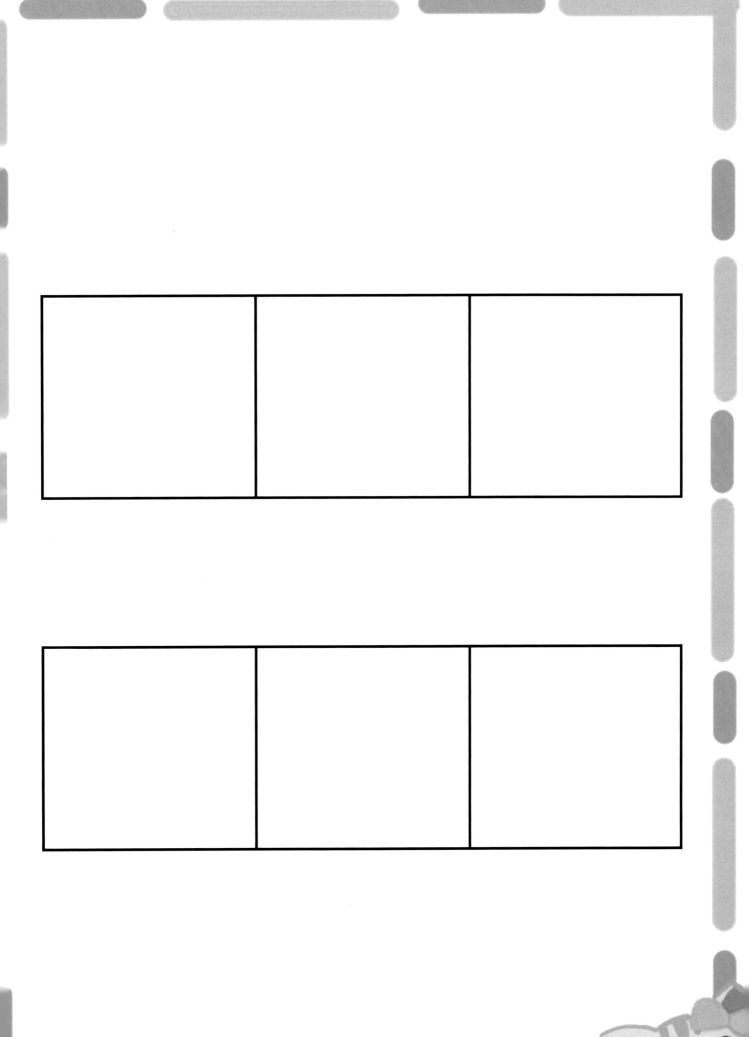

解ㄐㄧㄝˇ釋ㄕˋ： 像ㄒㄧㄤˋ一ㄧ株ㄓㄨ稻ㄉㄠˋ子ㄗ˙，
從ㄘㄨㄥˊ土ㄊㄨˇ地ㄉㄧˋ生ㄕㄥ長ㄓㄤˇ出ㄔㄨ稻ㄉㄠˋ穗ㄙㄨㄟˋ。

詞ㄘˊ語ㄩˇ： 生ㄕㄥ日ㄖˋ、 生ㄕㄥ活ㄏㄨㄛˊ

解ㄐㄧㄝˇ釋ㄕˋ： 正ㄓㄥˋ在ㄗㄞˋ說ㄕㄨㄛ話ㄏㄨㄚˋ的ㄉㄜ˙
嘴ㄗㄨㄟˇ巴ㄅㄚ，像ㄒㄧㄤˋ發ㄈㄚ出ㄔㄨ言ㄧㄢˊ語ㄩˇ的ㄉㄜ˙
聲ㄕㄥ波ㄅㄛ。

詞ㄘˊ語ㄩˇ： 語ㄩˇ言ㄧㄢˊ、 留ㄌㄧㄡˊ言ㄧㄢˊ

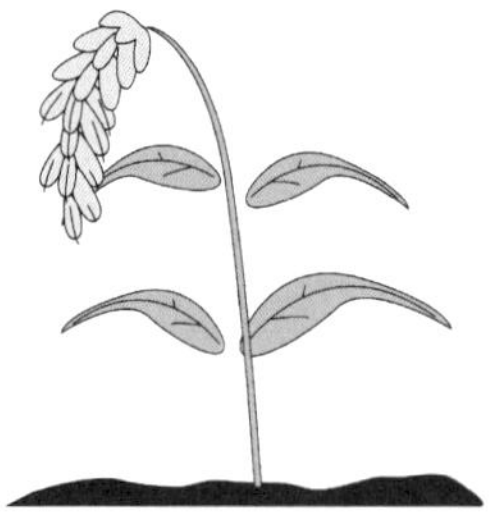

國字演變圖

 → 友 → 友

 → 在 → 在

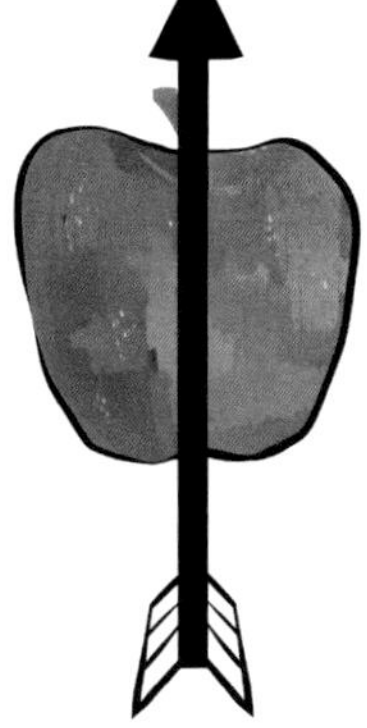 → 中 → 中

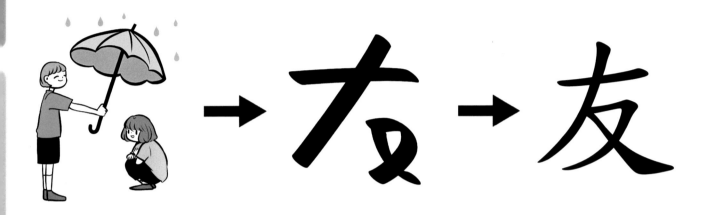

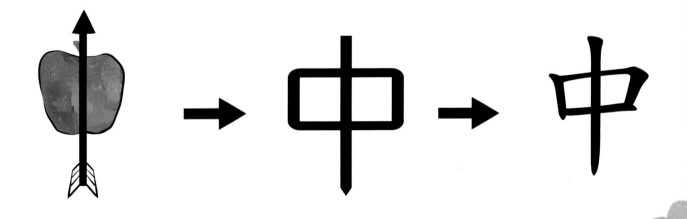

 → 生 → 生

 → 言 → 言

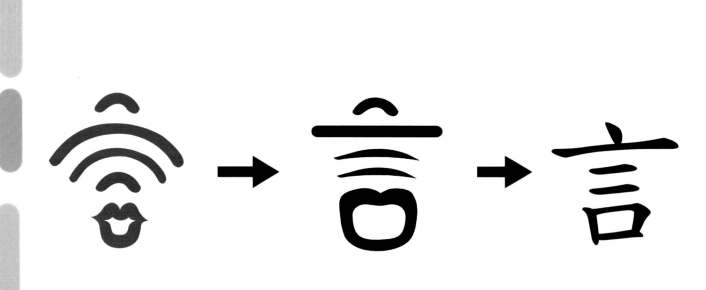

我可以做到！

完成任務可以請爸爸媽媽在空格處貼上小饅頭貼紙。

哥哥姐姐友愛弟弟妹妹。	
弟弟妹妹尊敬哥哥姐姐。	
不計較，不抱怨自己的跟別人不同。	
和別人分享玩具。	
說話多包容、諒解對方。	
不和他人吵架。	
珍惜自己的東西。	

貼紙在第142頁。

熱鬧的新年

吉

★ 我ㄨㄛˇ的ㄉㄜ˙目ㄇㄨˋ標ㄅㄧㄠ

★ 能ㄋㄥˊ做ㄗㄨㄛˋ到ㄉㄠˋ尊ㄗㄨㄣ敬ㄐㄧㄥˋ長ㄓㄤˇ輩ㄅㄟˋ。

★ 能ㄋㄥˊ主ㄓㄨˇ動ㄉㄨㄥˋ與ㄩˇ長ㄓㄤˇ輩ㄅㄟˋ打ㄉㄚˇ招ㄓㄠ呼ㄏㄨ。

★ 能ㄋㄥˊ主ㄓㄨˇ動ㄉㄨㄥˋ關ㄍㄨㄢ心ㄒㄧㄣ長ㄓㄤˇ輩ㄅㄟˋ，
並ㄅㄧㄥˋ體ㄊㄧˇ諒ㄌㄧㄤˋ長ㄓㄤˇ輩ㄅㄟˋ的ㄉㄜ˙辛ㄒㄧㄣ苦ㄎㄨˇ。

轟——　——轟——　——
新年到了！
喵喵邊揉眼睛，
邊從房間走到客廳。

喵喵：雖然被鞭炮聲吵醒了，不過一想到昨天領了好多紅包，心情還是非常好！

喵喵在心中想著：哇！
客廳好多人！

媽媽：還不快去打招呼！

喵喵：大家好！爺爺、奶奶、叔叔、嬸嬸、阿姨……。

媽ㄇㄚ媽ㄇㄚ： 可ㄎㄜ以ㄧˇ吃ㄔ飯ㄈㄢˋ了ㄌㄜ！

喵ㄇㄧㄠ喵ㄇㄧㄠ立ㄌㄧˋ刻ㄎㄜ跑ㄆㄠˇ過ㄍㄨㄛˋ去ㄑㄩˋ坐ㄗㄨㄛˋ下ㄒㄧㄚˋ來ㄌㄞˊ，
卻ㄑㄩㄝˋ發ㄈㄚ現ㄒㄧㄢˋ咪ㄇㄧ咪ㄇㄧ站ㄓㄢˋ在ㄗㄞˋ一ㄧ旁ㄆㄤˊ發ㄈㄚ呆ㄉㄞ。

喵喵：　妹妹為什麼不坐下？

咪咪：　大人都還沒坐下，
我們要等長輩坐好，
才能坐下，
哥哥快起來！

喵喵興奮的說：
哇！ 好多菜！

喵喵夾了很多
菜放在自己的
碗裡。

媽ㄇㄚˊ媽ㄇㄚ：等ㄉㄥˇ到ㄉㄠˋ爺ㄧㄝˊ爺ㄧㄝ和ㄏㄢˋ奶ㄋㄞˇ奶ㄋㄞ
夾ㄐㄧㄚ完ㄨㄢˊ菜ㄘㄞˋ，才ㄘㄞˊ換ㄏㄨㄢˋ你ㄋㄧˇ。

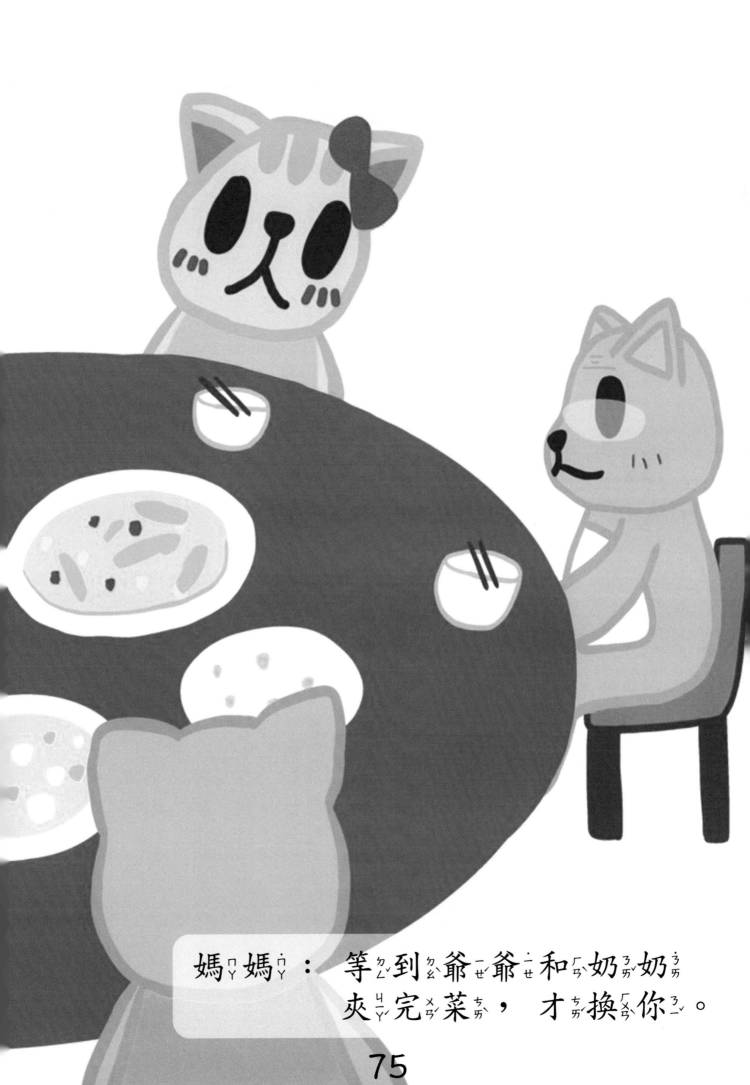

吃飽飯後，
喵喵回到房裡讀書。

奶奶高聲喊著：
喵喵，喵喵。

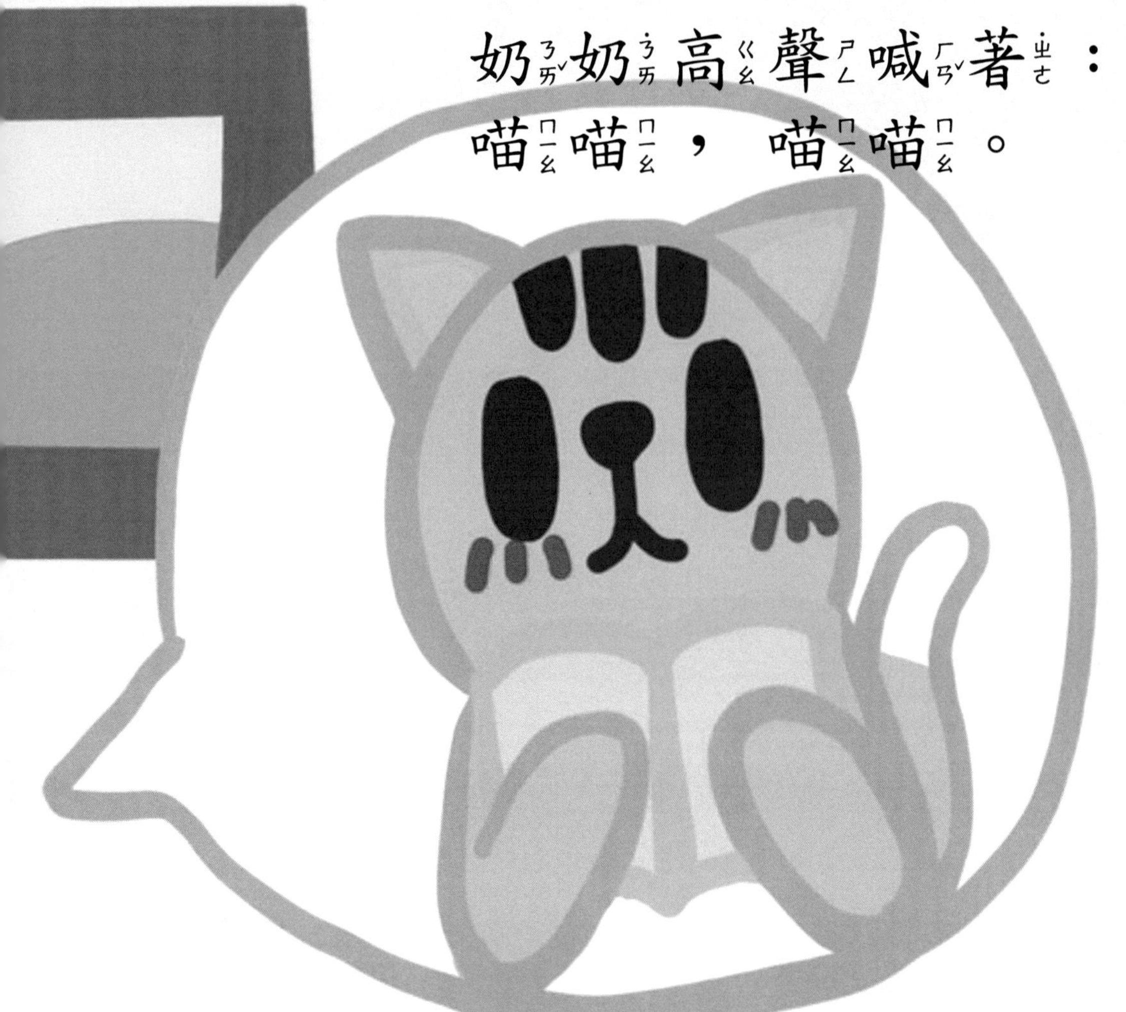

咪咪很快的回應：
奶奶，哥哥在房間，
我去幫您叫他。

叩ㄎㄡˋ！ 叩ㄎㄡˋ！

咪ㄇㄧ咪ㄇㄧ： 哥ㄍㄜ哥˙ㄍㄜ， 奶ㄋㄞˇ奶˙ㄋㄞ
在ㄗㄞˋ找ㄓㄠˇ你ㄋㄧˇ， 快ㄎㄨㄞˋ下ㄒㄧㄚˋ樓ㄌㄡˊ！

喵喵快步走到奶奶面前。

奶奶：咪咪，謝謝你幫我
叫他，過了一年，
你們都長大了，
愈來愈懂事了！

這時喵喵小聲的跟咪咪說：
你看！討人厭的
熊熊阿姨又來了！

奶奶：你們怎麼可以叫長輩的名字呢？這是沒有禮貌的表現！

喵喵和咪咪：阿姨好！

喵喵和咪咪生氣的說：
奶奶，阿姨沒有回應！

奶奶：　就算大人沒有回應，
我們還是要面帶
笑容的打招呼，
這才是好孩子該有
的表現。

新年第一天，
咪咪和喵喵學到了很多
規矩。 每位大人一見到
他們兄妹， 都一直誇獎
他們是有禮貌的好孩子。

大吉大利

我ㄨㄛˇ會ㄏㄨㄟˋ《弟ㄉㄧˋ子ㄗˇ規ㄍㄨㄟ》

或ㄏㄨㄛˋ飲ㄧㄣˇ食ㄕˊ， 或ㄏㄨㄛˋ坐ㄗㄨㄛˋ走ㄗㄡˇ；

長ㄓㄤˇ者ㄓㄜˇ先ㄒㄧㄢ， 幼ㄧㄡˋ者ㄓㄜˇ後ㄏㄡˋ。

長ㄓㄤˇ呼ㄏㄨ人ㄖㄣˊ， 即ㄐㄧˊ代ㄉㄞˋ叫ㄐㄧㄠˋ；

人ㄖㄣˊ不ㄅㄨˊ在ㄗㄞˋ， 己ㄐㄧˇ即ㄐㄧˊ到ㄉㄠˋ。

什麼意思？

不管是吃飯、 坐著或走路， 都要禮讓長輩和比自己年齡大的人，再輪到自己。

長輩在叫人， 要主動幫忙去叫。 如果長輩找的人不在， 要親自跟長輩說清楚， 不能讓長輩找不到人。

我ˇㄛ會ㄏㄨˋㄟˋ《 弟ㄉㄧˋ子ㄗˇ規ㄍㄨㄟ 》

稱ㄔㄥ尊ㄗㄨㄣ長ㄓㄤˇ， 勿ㄨˋ呼ㄏㄨ名ㄇㄧㄥˊ；

對ㄉㄨㄟˋ尊ㄗㄨㄣ長ㄓㄤˇ， 勿ㄨˋ見ㄒㄧㄢˋ能ㄋㄥˊ。

路ㄌㄨˋ遇ㄩˋ長ㄓㄤˇ， 疾ㄐㄧˊ趨ㄑㄩ揖ㄧ；

長ㄓㄤˇ無ㄨˊ言ㄧㄢˊ， 退ㄊㄨㄟˋ恭ㄍㄨㄥ立ㄌㄧˋ。

什(ㄕㄣ)麼(ㄇㄜ)意(ㄧ)思(ㄙ)？

稱(ㄔㄥ)呼(ㄏㄨ)長(ㄓㄤ)輩(ㄅㄟ)只(ㄓ)能(ㄋㄥ)叫(ㄐㄧㄠ)稱(ㄔㄥ)謂(ㄨㄟ)，不(ㄅㄨ)能(ㄋㄥ)叫(ㄐㄧㄠ)姓(ㄒㄧㄥ)名(ㄇㄧㄥ)， 也(ㄧㄝ)不(ㄅㄨ)能(ㄋㄥ)在(ㄗㄞ)長(ㄓㄤ)輩(ㄅㄟ)面(ㄇㄧㄢ)前(ㄑㄧㄢ)稱(ㄔㄥ)讚(ㄗㄢ)自(ㄗ)己(ㄐㄧ)。

不(ㄅㄨ)管(ㄍㄨㄢ)在(ㄗㄞ)路(ㄌㄨ)上(ㄕㄤ)或(ㄏㄨㄛ)是(ㄕ)其(ㄑㄧ)他(ㄊㄚ)地(ㄉㄧ)方(ㄈㄤ)， 遇(ㄩ)到(ㄉㄠ)長(ㄓㄤ)輩(ㄅㄟ)都(ㄉㄡ)要(ㄧㄠ)馬(ㄇㄚ)上(ㄕㄤ)打(ㄉㄚ)招(ㄓㄠ)呼(ㄏㄨ)， 如(ㄖㄨ)果(ㄍㄨㄛ)長(ㄓㄤ)輩(ㄅㄟ)沒(ㄇㄟ)有(ㄧㄡ)事(ㄕ)情(ㄑㄧㄥ)交(ㄐㄧㄠ)代(ㄉㄞ)我(ㄨㄛ)們(ㄇㄣ)做(ㄗㄨㄛ)， 也(ㄧㄝ)要(ㄧㄠ)安(ㄢ)靜(ㄐㄧㄥ)的(ㄉㄜ)站(ㄓㄢ)在(ㄗㄞ)旁(ㄆㄤ)邊(ㄅㄧㄢ)等(ㄉㄥ)待(ㄉㄞ)， 直(ㄓ)到(ㄉㄠ)長(ㄓㄤ)輩(ㄅㄟ)說(ㄕㄨㄛ)可(ㄎㄜ)以(ㄧ)離(ㄌㄧ)開(ㄎㄞ)或(ㄏㄨㄛ)坐(ㄗㄨㄛ)下(ㄒㄧㄚ)。

猜ㄘㄞ猜ㄘㄞ看ㄎㄢ這ㄓㄜ是ㄕ什ㄕㄣ麼ㄇㄜ字ㄗ？

請ㄑㄧㄥ從ㄘㄨㄥ下ㄒㄧㄚ方ㄈㄤ選ㄒㄩㄢ出ㄔㄨ最ㄗㄨㄟ像ㄒㄧㄤ的ㄉㄜ字ㄗ卡ㄎㄚ，擺ㄅㄞ入ㄖㄨ第ㄉㄧ91頁ㄧㄝ和ㄏㄢ第ㄉㄧ95頁ㄧㄝ的ㄉㄜ空ㄎㄨㄥ格ㄍㄜ中ㄓㄨㄥ。

立 ㄌㄧˋ	己 ㄐㄧˇ	見 ㄐㄧㄢˋ
下 ㄒㄧㄚˋ	人 ㄖㄣˊ	良 ㄕˊ
不 ㄅㄨˋ	者 ㄓㄜˇ	走 ㄗㄡˇ

字ㄗ卡ㄎㄚ在ㄗㄞ第ㄉㄧ140頁ㄧㄝ，剪ㄐㄧㄢ下ㄒㄧㄚ來ㄌㄞ使ㄕ用ㄩㄥ。

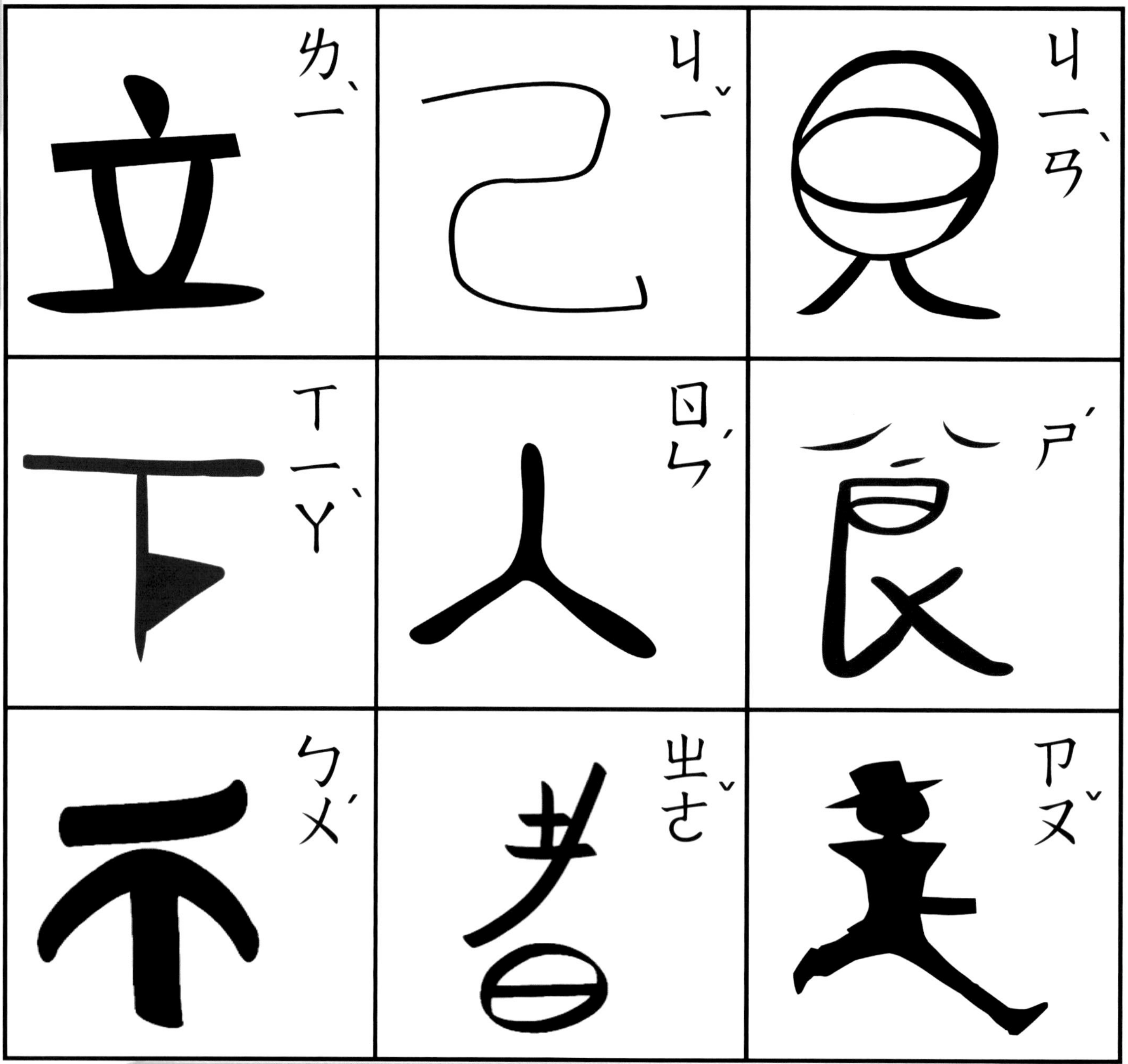

我ㄨㄛˇ是ㄕˋ大ㄉㄚˋ偵ㄓㄣ探ㄊㄢˋ

請ㄑㄧㄥˇ剪ㄐㄧㄢˇ下ㄒㄧㄚˋ第ㄉㄧˋ140頁ㄧㄝˋ的ㄉㄜ字ㄗˋ，看ㄎㄢˋ看ㄎㄢˋ哪ㄋㄚˇ個ㄍㄜˋ字ㄗˋ最ㄗㄨㄟˋ像ㄒㄧㄤˋ下ㄒㄧㄚˋ面ㄇㄧㄢˋ的ㄉㄜ圖ㄊㄨˊ，擺ㄅㄞˇ到ㄉㄠˋ格ㄍㄜˊ子ㄗˇ裡ㄌㄧˇ。

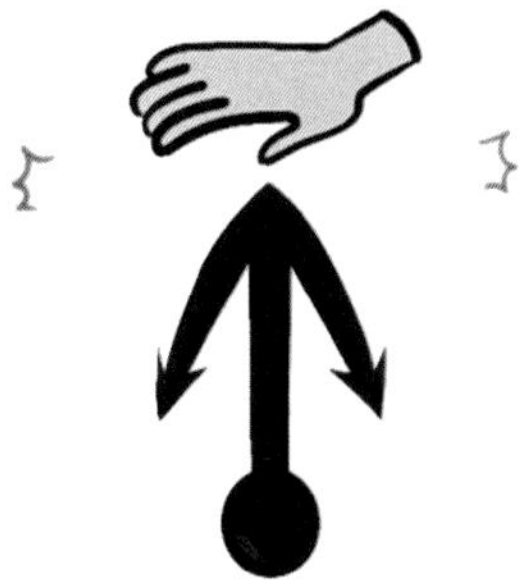

食 ㄕˊ	食 ㄕˊ	食 ㄕˊ
走 ㄗㄡˇ	走 ㄗㄡˇ	走 ㄗㄡˇ
不 ㄅㄨˋ	不 ㄅㄨˋ	不 ㄅㄨˋ

我ㄨㄛˇ認ㄖㄣˋ識ㄕˋ國ㄍㄨㄛˊ字ㄗˋ

解ㄐㄧㄝˇ釋ㄕˋ： 像ㄒㄧㄤ一ㄧ個ㄍㄜˋ人ㄖㄣˊ拿ㄋㄚˊ著ㄓㄜ
叉ㄔㄚ子ㄗˇ， 準ㄓㄨㄣˇ備ㄅㄟˋ要ㄧㄠˋ大ㄉㄚˋ吃ㄔ
一ㄧ頓ㄉㄨㄣˋ的ㄉㄜ樣ㄧㄤˋ子ㄗˇ。

詞ㄘˊ語ㄩˇ： 食ㄕˊ物ㄨˋ

解ㄐㄧㄝˇ釋ㄕˋ： 走ㄗㄡˇ路ㄌㄨˋ的ㄉㄜ樣ㄧㄤˋ子ㄗˇ。

詞ㄘˊ語ㄩˇ： 走ㄗㄡˇ路ㄌㄨˋ

解ㄐㄧㄝˇ釋ㄕˋ： 手ㄕㄡˇ要ㄧㄠˋ去ㄑㄩˋ碰ㄆㄥˋ錨ㄇㄠˊ
（鐵ㄊㄧㄝˇ製ㄓˋ的ㄉㄜ停ㄊㄧㄥˊ船ㄔㄨㄢˊ工ㄍㄨㄥ具ㄐㄩˋ）。
當ㄉㄤ你ㄋㄧˇ看ㄎㄢˋ到ㄉㄠˋ有ㄧㄡˇ人ㄖㄣˊ要ㄧㄠˋ碰ㄆㄥˋ錨ㄇㄠˊ，
會ㄏㄨㄟˋ大ㄉㄚˋ喊ㄏㄢˇ「不ㄅㄨˋ」阻ㄗㄨˇ止ㄓˇ。
「不ㄅㄨˋ」也ㄧㄝˇ唸ㄋㄧㄢˋ「不ㄅㄨˋ」。

詞ㄘˊ語ㄩˇ： 不ㄅㄨˋ能ㄋㄥˊ、 不ㄅㄨˋ要ㄧㄠˋ

我ˇ是ˋ大ˋ偵ˊ探ˋ

請ˇ剪ˇ下ˋ第ˋ140頁ˋ的ˊ字ˋ，
看ˋ看ˋ哪ˇ個ˋ字ˋ最ˋ像ˋ下ˋ面ˋ
的ˊ圖ˊ，擺ˇ到ˋ格ˊ子˙裡ˇ。

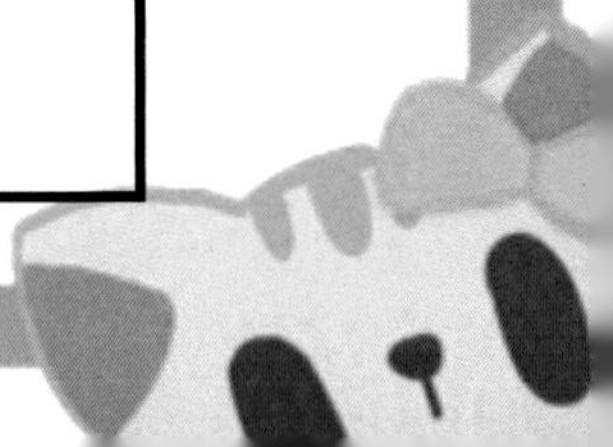

我會寫國字

先描三次，再寫三次。

見 ㄐㄧㄢˋ	見 ㄐㄧㄢˋ	見 ㄐㄧㄢˋ
立 ㄌㄧˋ	立 ㄌㄧˋ	立 ㄌㄧˋ
者 ㄓㄜˇ	者 ㄓㄜˇ	者 ㄓㄜˇ

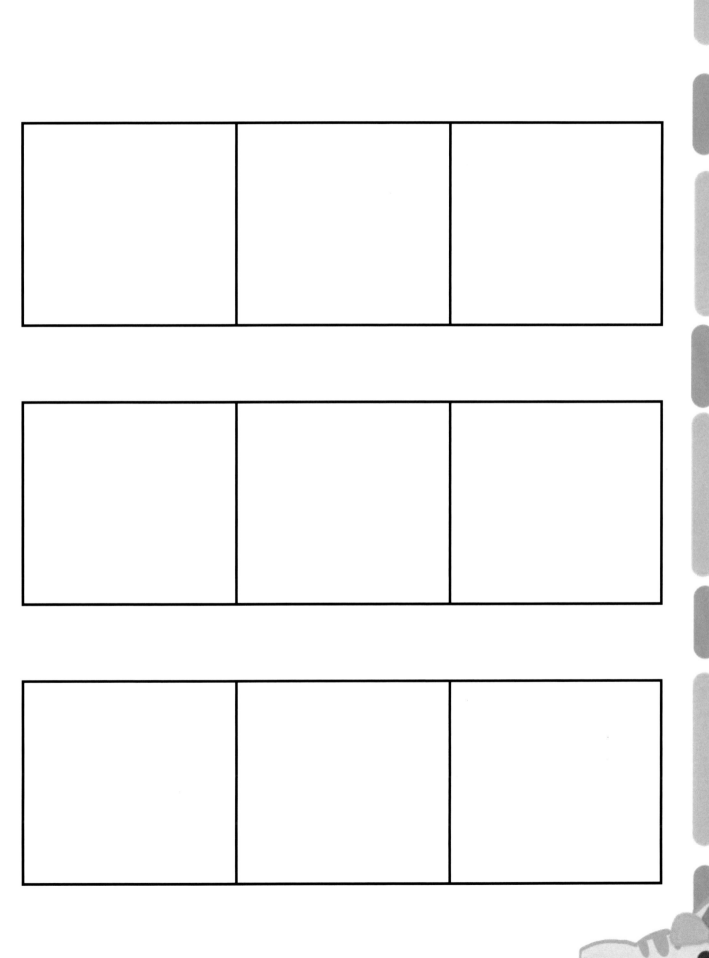

我认识国字

解释： 意思是看见。
运用你的想像力，
「见」字看起来是不
是很像一隻大眼怪呢？

词语： 见面

解释： 意思是站立。
像一个男孩站在滑板
上，他的手臂向左右
伸出以保持平衡。

词语： 站立

解释： 像是忍者跪坐
在地上的样子。

词语： 记者

國字演變圖

食

走

不

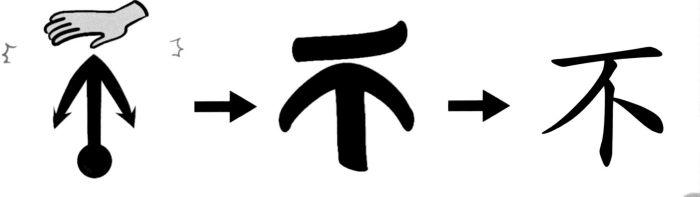

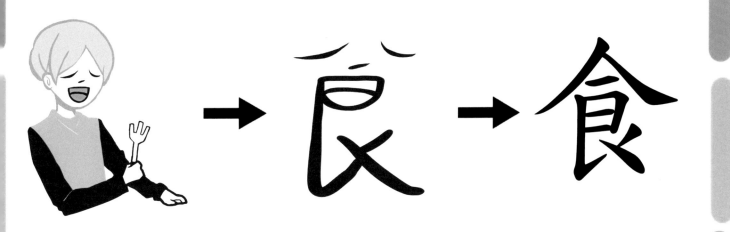

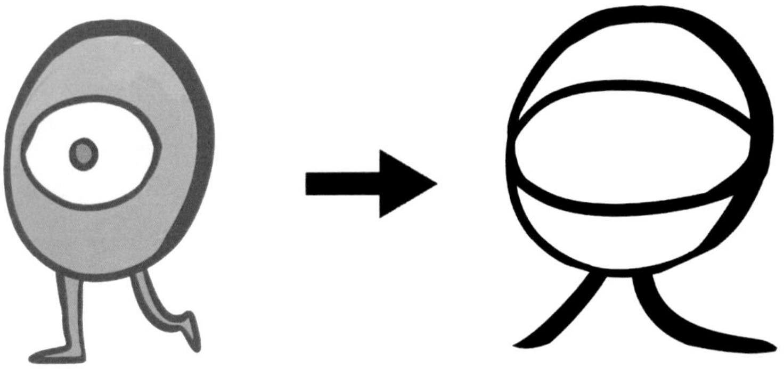

→ 見

→ 立

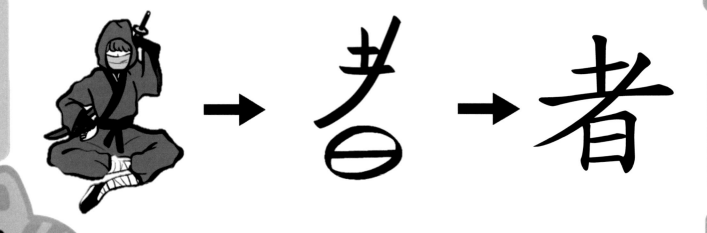

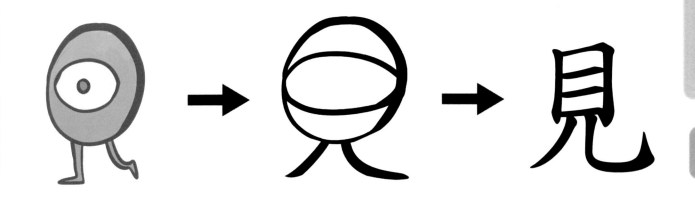

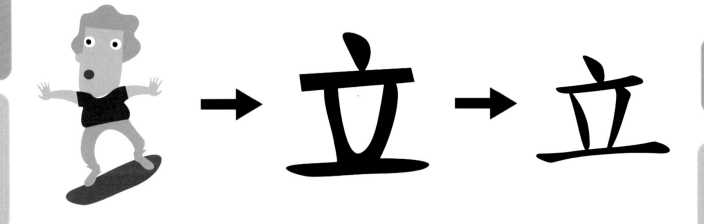

→ 者

我可以做到！

完成任務可以請爸爸媽媽在空格處貼上小饅頭貼紙。

禮讓長輩和比自己年齡大的人。	
長輩叫人時，主動幫忙去叫。	
長輩找的人不在，自己跟長輩說清楚。	
稱呼長輩使用稱謂，例如：叔叔 。	
不在長輩面前稱讚自己。	
遇到長輩會打招呼。	
向長輩打完招呼後，安靜的站在旁邊等待，直到長輩說可以離開或坐下。	

貼紙在第142頁。

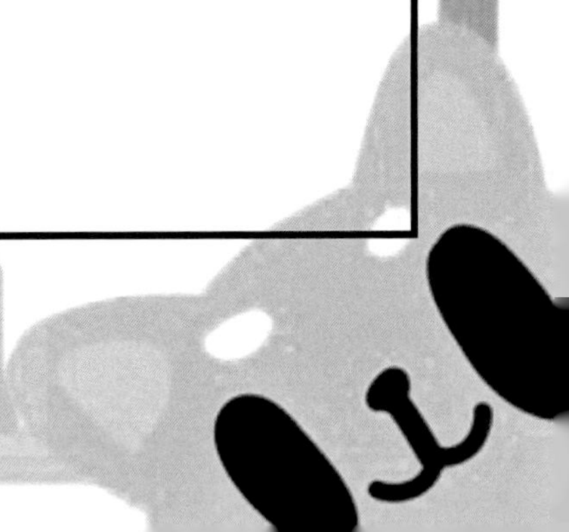

鼓鼓的樹屋

我ㄨㄛˇ的ㄉㄜ˙目ㄇㄨˋ標ㄅㄧㄠ

★ 能ㄋㄥˊ以ㄧˇ適ㄕˋ合ㄏㄜˊ的ㄉㄜ˙音ㄧㄣ量ㄌㄧㄤˋ說ㄕㄨㄛ話ㄏㄨㄚˋ。

★ 能ㄋㄥˊ認ㄖㄣˋ真ㄓㄣ聆ㄌㄧㄥˊ聽ㄊㄧㄥ長ㄓㄤˇ輩ㄅㄟˋ說ㄕㄨㄛ話ㄏㄨㄚˋ。

★ 能ㄋㄥˊ對ㄉㄨㄟˋ所ㄙㄨㄛˇ有ㄧㄡˇ人ㄖㄣˊ友ㄧㄡˇ愛ㄞˋ。

鼓鼓：爸爸幫我蓋了一間樹屋，所以我想邀請你們來玩。

大家開心的說：好啊！

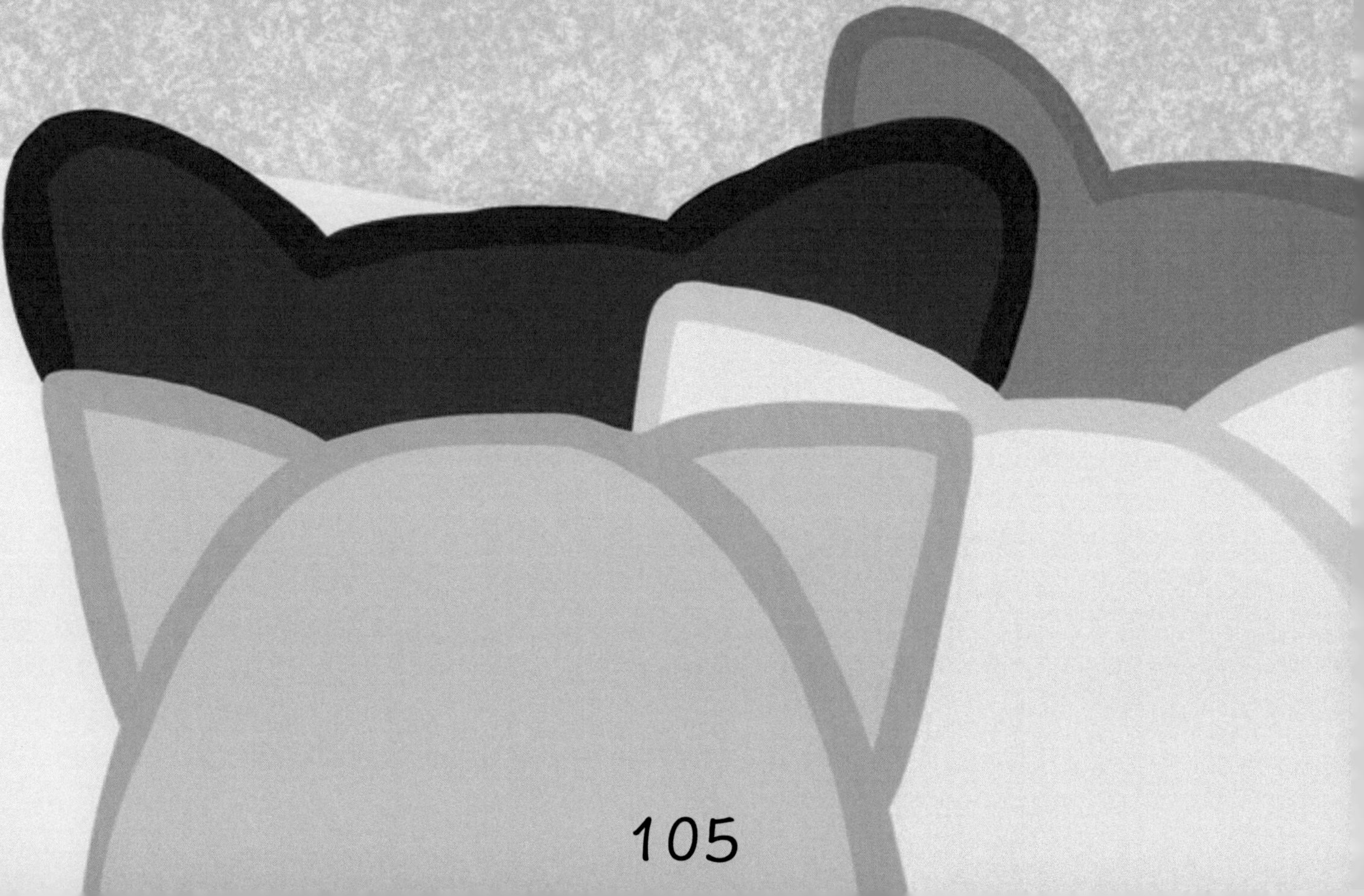

果果：哇！樹屋
看起來好酷喔！
好想快點上去。

咪ㄇㄧ咪ㄇㄧ：我ㄨㄛˇ們ㄇㄣ˙先ㄒㄧㄢ去ㄑㄩˋ跟ㄍㄣ
鼓ㄍㄨˇ鼓ㄍㄨˇ的ㄉㄜ˙媽ㄇㄚ媽ㄇㄚ˙
打ㄉㄚˇ招ㄓㄠ呼ㄏㄨ吧ㄅㄚ˙！

大ㄉㄚ家ㄐㄧㄚ熱ㄖㄜ情ㄑㄧㄥ的ㄉㄜ打ㄉㄚ招ㄓㄠ呼ㄏㄨ：
阿ㄚ姨ㄧˊ好ㄏㄠˇ！

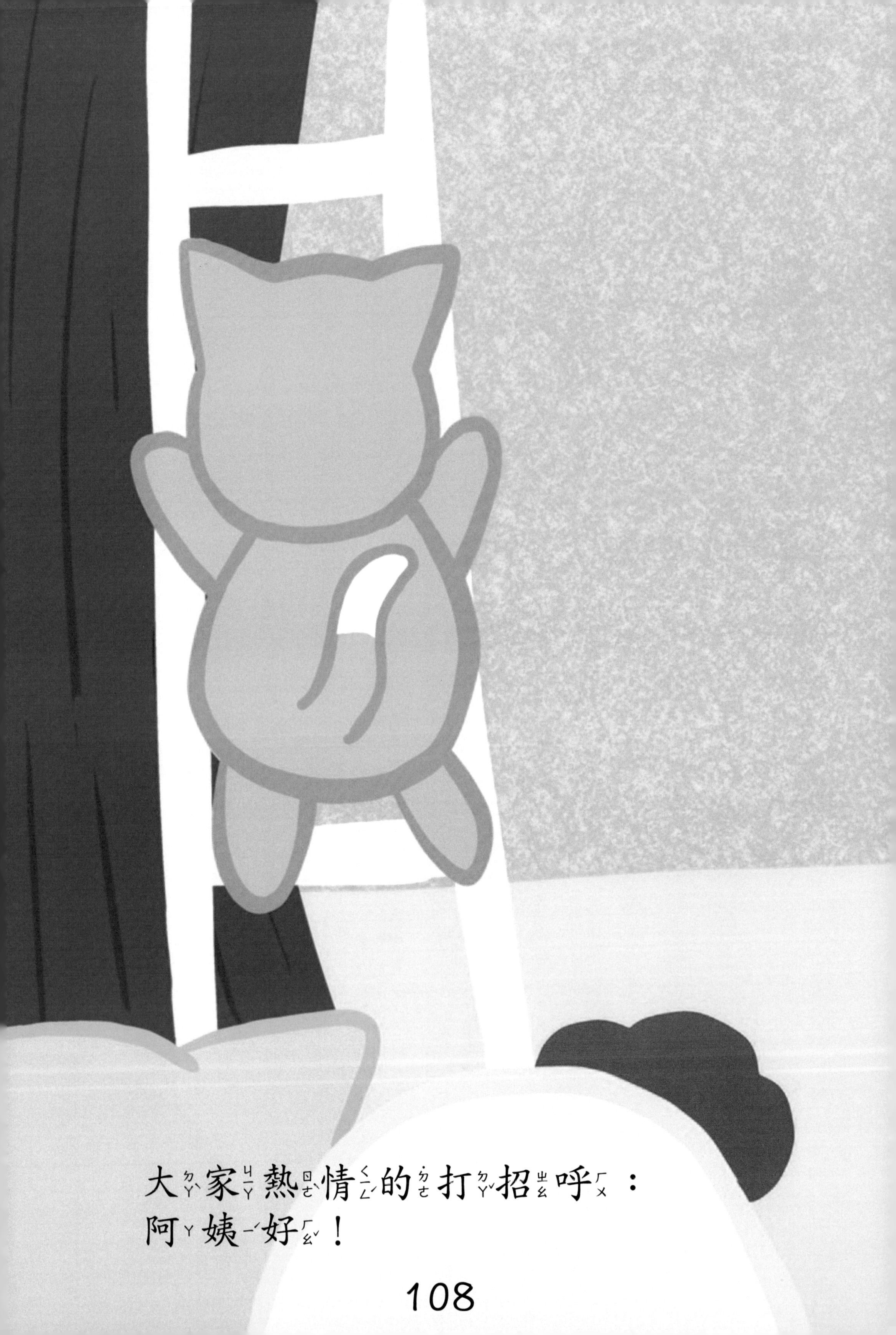

鼓ㄍㄨˇ鼓ㄍㄨˇ的ㄉㄜ媽ㄇㄚ媽ㄇㄚ準ㄓㄨㄣˇ備ㄅㄟˋ了ㄌㄜ很ㄏㄣˇ多ㄉㄨㄛ
點ㄉㄧㄢˇ心ㄒㄧㄣ給ㄍㄟˇ小ㄒㄧㄠˇ朋ㄆㄥˊ友ㄧㄡˇ。

鼓ㄍㄨˇ鼓ㄍㄨˇ的ㄉㄜ媽ㄇㄚ媽ㄇㄚ：
歡ㄏㄨㄢ迎ㄧㄥˊ你ㄋㄧˇ們ㄇㄣ來ㄌㄞˊ樹ㄕㄨˋ屋ㄨ，
我ㄨㄛˇ等ㄉㄥˇ一ㄧ下ㄒㄧㄚˋ端ㄉㄨㄢ點ㄉㄧㄢˇ心ㄒㄧㄣ上ㄕㄤˋ去ㄑㄩˋ。

果果突然想上廁所，
因此請哥哥陪他一起去。

果果小聲的問：
阿姨，請問廁所在哪裡？

阿姨：　對不起，阿姨聽不見，可以請你再說一次嗎？

果果：　請問廁所在哪裡？

阿姨：　走到底，左邊那間就是廁所。

廁所

果果上完廁所出來，
看見哥哥皺著眉頭，
好奇的問：怎麼了？

松松回答：

媽媽教我們講話要看著對方。就算害羞，也不能一直低著頭。跟長輩說話要低聲細語，但是也不能太小聲讓對方聽不見！

果(ㄍㄨㄛˇ)果(ㄍㄨㄛˇ)難(ㄋㄢˊ)過(ㄍㄨㄛˋ)的(ㄉㄜ˙)說(ㄕㄨㄛ)：
對(ㄉㄨㄟˋ)不(ㄅㄨˋ)起(ㄑㄧˇ)，我(ㄨㄛˇ)知(ㄓ)道(ㄉㄠˋ)了(ㄌㄜ˙)。

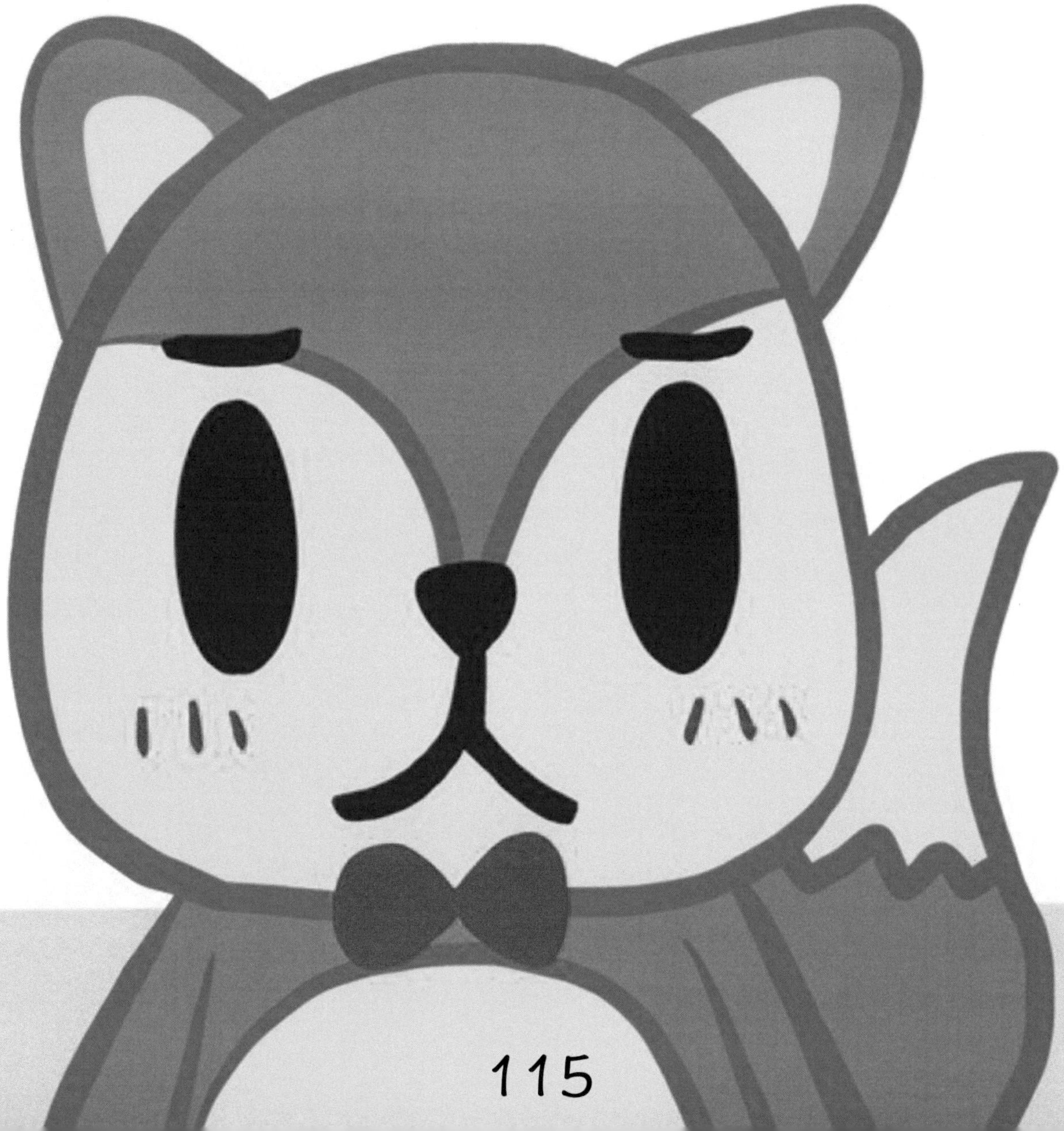

松松：
沒關係，下次
記得就好。
對待別人的
媽媽，也要像
對待自己的
媽媽一樣尊敬。

果{ㄍㄨㄛˇ}果{ㄍㄨㄛˇ}：　我{ㄨㄛˇ}對{ㄉㄨㄟˋ}鼓{ㄍㄨˇ}鼓{ㄍㄨˇ}的{ㄉㄜ˙}媽{ㄇㄚ}媽{ㄇㄚ˙}會{ㄏㄨㄟˋ}像{ㄒㄧㄤˋ}對{ㄉㄨㄟˋ}自{ㄗˋ}己{ㄐㄧˇ}的{ㄉㄜ˙}媽{ㄇㄚ}媽{ㄇㄚ˙}一{ㄧ}樣{ㄧㄤˋ}尊{ㄗㄨㄣ}敬{ㄐㄧㄥˋ}，　對{ㄉㄨㄟˋ}鼓{ㄍㄨˇ}鼓{ㄍㄨˇ}也{ㄧㄝˇ}會{ㄏㄨㄟˋ}像{ㄒㄧㄤˋ}對{ㄉㄨㄟˋ}你{ㄋㄧˇ}一{ㄧ}樣{ㄧㄤˋ}好{ㄏㄠˇ}。

松{ㄙㄨㄥ}松{ㄙㄨㄥ}：　果{ㄍㄨㄛˇ}果{ㄍㄨㄛˇ}最{ㄗㄨㄟˋ}棒{ㄅㄤˋ}了{ㄌㄜ˙}！

兄{ㄒㄩㄥ}弟{ㄉㄧˋ}倆{ㄌㄧㄤˇ}手{ㄕㄡˇ}牽{ㄑㄧㄢ}著{ㄓㄜ˙}手{ㄕㄡˇ}回{ㄏㄨㄟˊ}到{ㄉㄠˋ}樹{ㄕㄨˋ}屋{ㄨ}跟{ㄍㄣ}大{ㄉㄚˋ}家{ㄐㄧㄚ}一{ㄧ}起{ㄑㄧˇ}玩{ㄨㄢˊ}。

我ㄨㄛˇ會ㄏㄨㄟˋ《弟ㄉㄧˋ子ㄗˇ規ㄍㄨㄟ》

長ㄓㄤˇ者ㄓㄜˇ立ㄌㄧˋ，　幼ㄧㄡˋ勿ㄨˋ坐ㄗㄨㄛˋ；

長ㄓㄤˇ者ㄓㄜˇ坐ㄗㄨㄛˋ，　命ㄇㄧㄥˋ乃ㄋㄞˇ坐ㄗㄨㄛˋ。

尊ㄗㄨㄣ長ㄓㄤˇ前ㄑㄧㄢˊ，　聲ㄕㄥ要ㄧㄠˋ低ㄉㄧ；

低ㄉㄧ不ㄅㄨˋ聞ㄨㄣˊ，　卻ㄑㄩㄝˋ非ㄈㄟ宜ㄧˊ。

長ㄓㄤˇ輩ㄅㄟˋ站ㄓㄢˋ著ㄓㄜ時ㄕˊ， 我ㄨㄛˇ們ㄇㄣ也ㄧㄝˇ要ㄧㄠˋ站ㄓㄢˋ著ㄓㄜ； 等ㄉㄥˇ到ㄉㄠˋ長ㄓㄤˇ輩ㄅㄟˋ坐ㄗㄨㄛˋ好ㄏㄠˇ， 並ㄅㄧㄥˋ請ㄑㄧㄥˇ我ㄨㄛˇ們ㄇㄣ坐ㄗㄨㄛˋ下ㄒㄧㄚˋ時ㄕˊ， 才ㄘㄞˊ能ㄋㄥˊ坐ㄗㄨㄛˋ著ㄓㄜ。

和ㄏㄢˋ長ㄓㄤˇ輩ㄅㄟˋ說ㄕㄨㄛ話ㄏㄨㄚˋ時ㄕˊ， 講ㄐㄧㄤˇ話ㄏㄨㄚˋ不ㄅㄨˋ能ㄋㄥˊ太ㄊㄞˋ大ㄉㄚˋ聲ㄕㄥ， 也ㄧㄝˇ不ㄅㄨˋ能ㄋㄥˊ小ㄒㄧㄠˇ聲ㄕㄥ到ㄉㄠˋ聽ㄊㄧㄥ不ㄅㄨˋ見ㄐㄧㄢˋ， 剛ㄍㄤ好ㄏㄠˇ能ㄋㄥˊ聽ㄊㄧㄥ得ㄉㄜ清ㄑㄧㄥ楚ㄔㄨˇ的ㄉㄜ音ㄧㄣ量ㄌㄧㄤˋ就ㄐㄧㄡˋ可ㄎㄜˇ以ㄧˇ了ㄌㄜ。

我ㄨㄛˇ會ㄏㄨㄟˋ《弟ㄉㄧˋ子ㄗˇ規ㄍㄨㄟ》

進ㄐㄧㄣˋ必ㄅㄧˋ趨ㄑㄩ， 退ㄊㄨㄟˋ必ㄅㄧˋ遲ㄔˊ；

問ㄨㄣˋ起ㄑㄧˇ對ㄉㄨㄟˋ， 視ㄕˋ勿ㄨˋ移ㄧˊ。

事ㄕˋ諸ㄓㄨ父ㄈㄨˋ， 如ㄖㄨˊ事ㄕˋ父ㄈㄨˋ；

事ㄕˋ諸ㄓㄨ兄ㄒㄩㄥ， 如ㄖㄨˊ事ㄕˋ兄ㄒㄩㄥ。

你真棒

什麼意思？

長輩叫我們的時候，
要快速走到長輩面前，
離開時則要慢慢走。
長輩問話時，要站起
來回答，並看著長輩
的眼睛，認真的聆聽，
不可以東張西望。

對待叔叔、阿姨要像
對待爸爸、媽媽一樣
尊敬。對待朋友，都
要像對自己的兄弟
姐妹一樣友愛。

出 ㄔㄨ	百 ㄅㄞ	馬 ㄇㄚ
車 ㄔㄜ	事 ㄕ	父 ㄈㄨ
下 ㄒㄧㄚ	必 ㄅㄧ	首 ㄕㄡ

字ㄗ卡ㄎㄚ在ㄗㄞ第ㄉㄧ141頁ㄧㄝ，剪ㄐㄧㄢ下ㄒㄧㄚ來ㄌㄞ使ㄕ用ㄩㄥ。

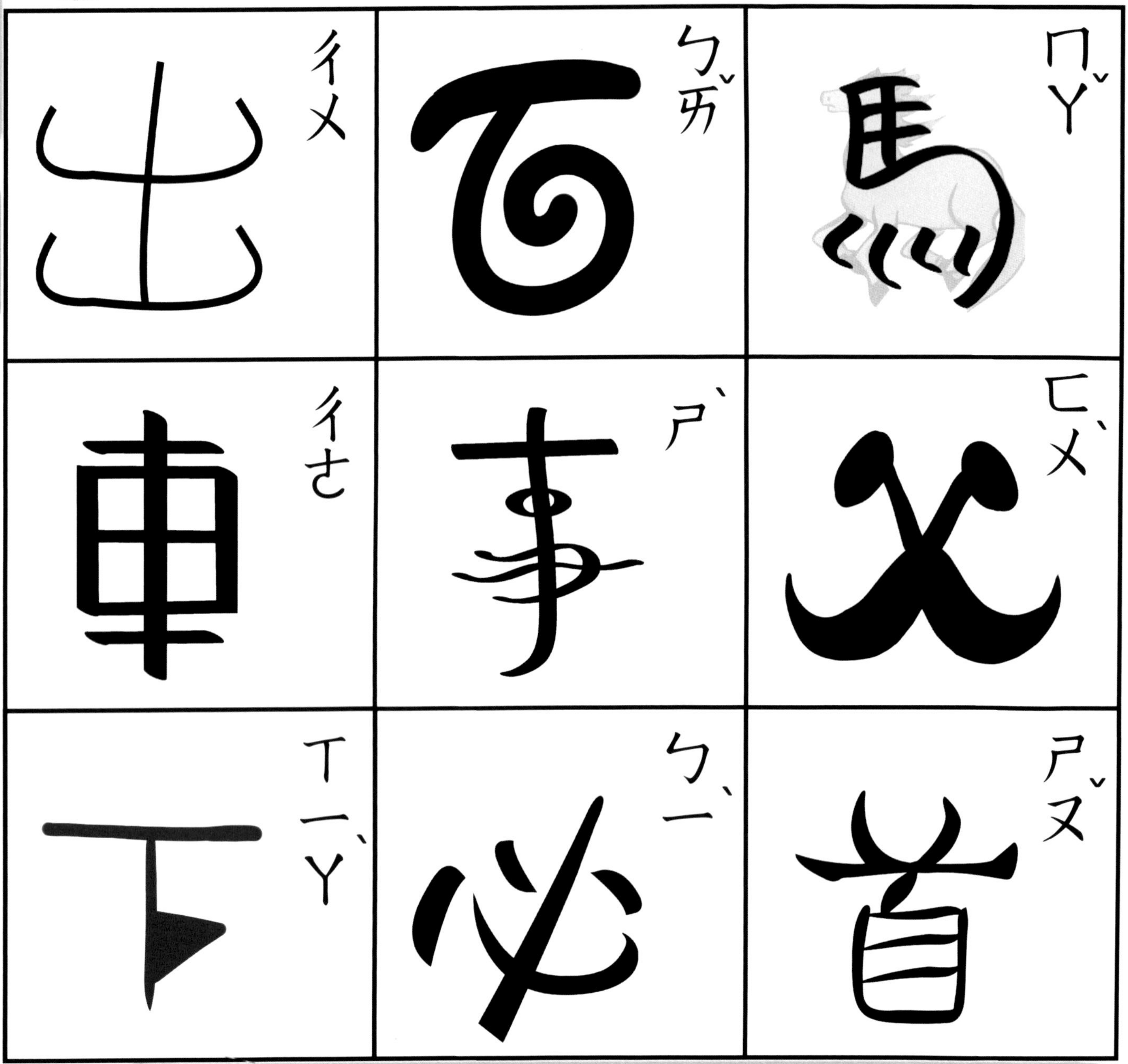

我ㄨㄛˇ是ㄕˋ大ㄉㄚˋ偵ㄓㄣ探ㄊㄢˋ

請ㄑㄧㄥˇ剪ㄐㄧㄢˇ下ㄒㄧㄚˋ第ㄉㄧˋ141頁ㄧㄝˋ的ㄉㄜ字ㄗˋ，
看ㄎㄢˋ看ㄎㄢˋ哪ㄋㄚˇ個ㄍㄜˋ字ㄗˋ最ㄗㄨㄟˋ像ㄒㄧㄤˋ下ㄒㄧㄚˋ面ㄇㄧㄢˋ
的ㄉㄜ圖ㄊㄨˊ， 擺ㄅㄞˇ到ㄉㄠˋ格ㄍㄜˊ子ㄗˇ裡ㄌㄧˇ。

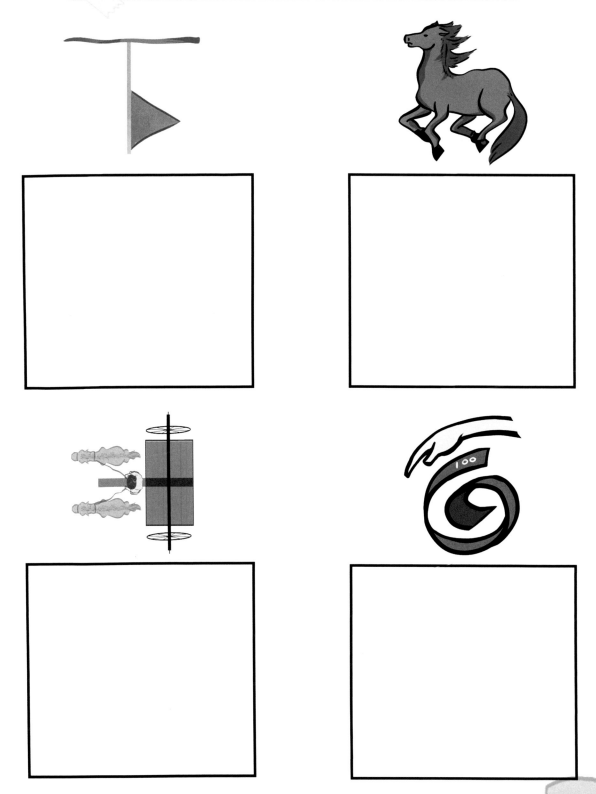

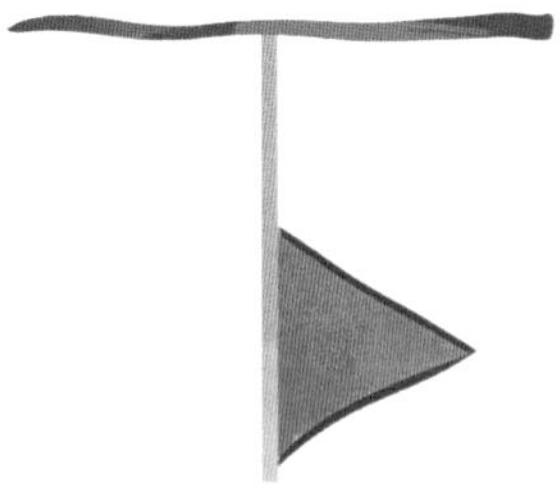

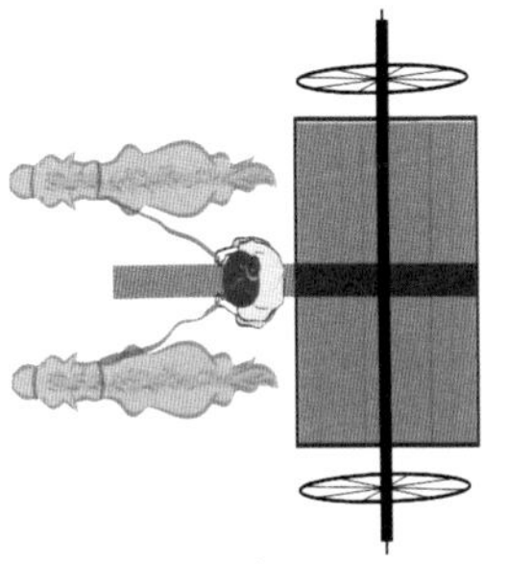

我會寫國字

先描三次，再寫三次。

下 ㄒㄧㄚˋ	下 ㄒㄧㄚˋ	下 ㄒㄧㄚˋ
馬 ㄇㄚˇ	馬 ㄇㄚˇ	馬 ㄇㄚˇ
車 ㄔㄜ	車 ㄔㄜ	車 ㄔㄜ
百 ㄅㄞˇ	百 ㄅㄞˇ	百 ㄅㄞˇ

我ㄨㄛˇ認ㄖㄣˋ識ㄕˋ國ㄍㄨㄛˊ字ㄗˋ

解ㄐㄧㄝˇ釋ㄕˋ： 像ㄒㄧㄤˋ一ㄧ支ㄓ倒ㄉㄠˋ掛ㄍㄨㄚˋ在ㄗㄞˋ屋ㄨ頂ㄉㄧㄥˇ下ㄒㄧㄚˋ的ㄉㄜ旗ㄑㄧˊ子ㄗ˙， 表ㄅㄧㄠˇ示ㄕˋ下ㄒㄧㄚˋ面ㄇㄧㄢˋ的ㄉㄜ˙意ㄧˋ思ㄙ。

詞ㄘˊ語ㄩˇ： 下ㄒㄧㄚˋ車ㄔㄜ、 下ㄒㄧㄚˋ課ㄎㄜˋ

解ㄐㄧㄝˇ釋ㄕˋ： 像ㄒㄧㄤˋ一ㄧ匹ㄆㄧˇ向ㄒㄧㄤˋ前ㄑㄧㄢˊ飛ㄈㄟ奔ㄅㄣ的ㄉㄜ˙馬ㄇㄚˇ， 三ㄙㄢ橫ㄏㄥˊ筆ㄅㄧˇ畫ㄏㄨㄚˋ像ㄒㄧㄤˋ馬ㄇㄚˇ奔ㄅㄣ跑ㄆㄠˇ時ㄕˊ毛ㄇㄠˊ髮ㄈㄚˇ隨ㄙㄨㄟˊ風ㄈㄥ飄ㄆㄧㄠ的ㄉㄜ˙樣ㄧㄤˋ子ㄗ˙。

詞ㄘˊ語ㄩˇ： 馬ㄇㄚˇ匹ㄆㄧ、 馬ㄇㄚˇ上ㄕㄤˋ

解ㄐㄧㄝˇ釋ㄕˋ： 「車ㄔㄜ」字ㄗˋ的ㄉㄜ˙兩ㄌㄧㄤˇ橫ㄏㄥˊ是ㄕˋ車ㄔㄜ輪ㄌㄨㄣˊ， 中ㄓㄨㄥ間ㄐㄧㄢ的ㄉㄜ˙方ㄈㄤ形ㄒㄧㄥˊ是ㄕˋ座ㄗㄨㄛˋ位ㄨㄟˋ， 穿ㄔㄨㄢ過ㄍㄨㄛˋ方ㄈㄤ塊ㄎㄨㄞˋ的ㄉㄜ˙直ㄓˊ線ㄒㄧㄢˋ是ㄕˋ車ㄔㄜ軸ㄓㄡˊ。

詞ㄘˊ語ㄩˇ： 公ㄍㄨㄥ車ㄔㄜ、 車ㄔㄜ站ㄓㄢˋ

解ㄐㄧㄝˇ釋ㄕˋ： 像ㄒㄧㄤˋ一ㄧ隻ㄓ手ㄕㄡˇ捲ㄐㄩㄢˇ起ㄑㄧ一ㄧ百ㄅㄞˇ元ㄩㄢˊ的ㄉㄜ˙鈔ㄔㄠ票ㄆㄧㄠˋ。

詞ㄘˊ語ㄩˇ： 百ㄅㄞˇ姓ㄒㄧㄥˋ、 百ㄅㄞˇ貨ㄏㄨㄛˋ

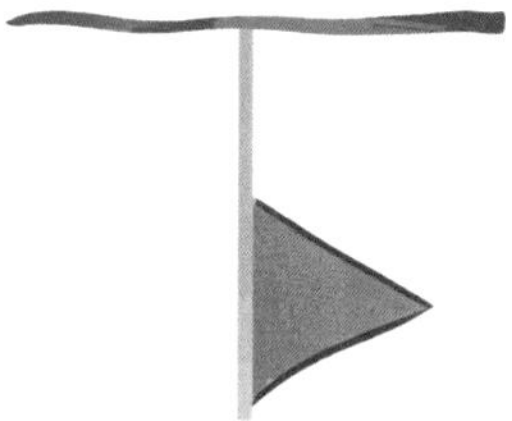

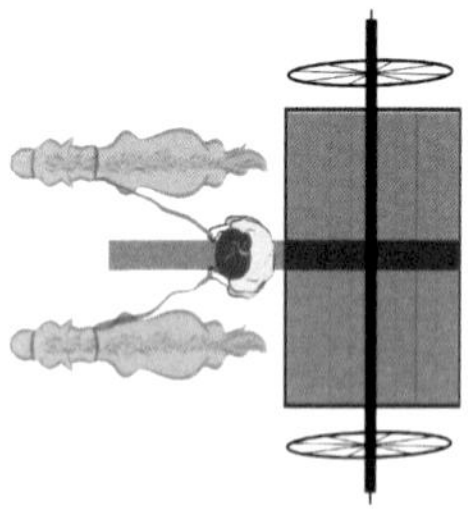

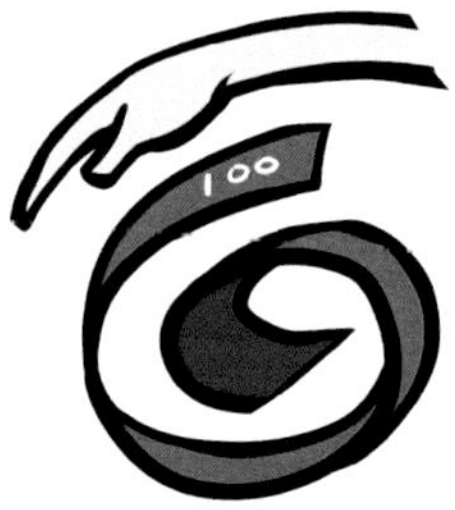

我ㄨㄛˇ是ㄕˋ大ㄉㄚˋ偵ㄓㄣ探ㄊㄢˋ

請ㄑㄧㄥˇ剪ㄐㄧㄢˇ下ㄒㄧㄚˋ第ㄉㄧˋ141頁ㄧㄝˋ的ㄉㄜ字ㄗˋ，
看ㄎㄢˋ看ㄎㄢˋ哪ㄋㄚˇ個ㄍㄜˋ字ㄗˋ最ㄗㄨㄟˋ像ㄒㄧㄤˋ下ㄒㄧㄚˋ面ㄇㄧㄢˋ
的ㄉㄜ圖ㄊㄨˊ，擺ㄅㄞˇ到ㄉㄠˋ格ㄍㄜˊ子ㄗˇ裡ㄌㄧˇ。

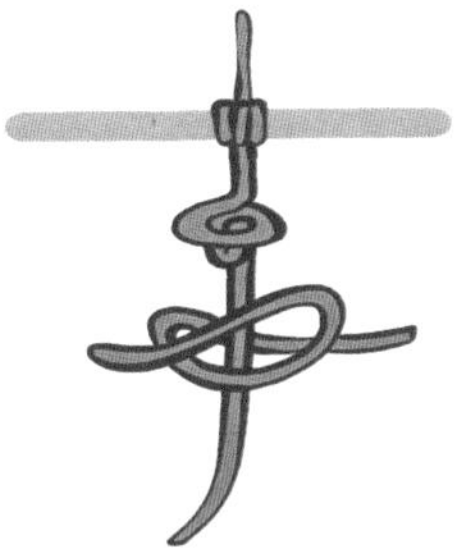

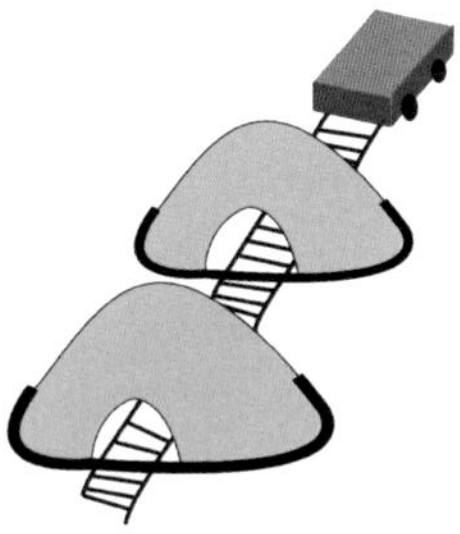

我會寫國字

先描三次，再寫三次。

事 ㄕˋ	事 ㄕˋ	事 ㄕˋ
父 ㄈㄨˋ	父 ㄈㄨˋ	父 ㄈㄨˋ
出 ㄔㄨ	出 ㄔㄨ	出 ㄔㄨ
必 ㄅㄧˋ	必 ㄅㄧˋ	必 ㄅㄧˋ

我ㄨㄛˇ認ㄖㄣˋ識ㄕˋ國ㄍㄨㄛˊ字ㄗˋ

解ㄐㄧㄝˇ釋ㄕˋ：　古ㄍㄨˇ人ㄖㄣˊ用ㄩㄥˋ繩ㄕㄥˊ子ㄗ˙上ㄕㄤˋ的ㄉㄜ˙結ㄐㄧㄝˊ，　記ㄐㄧˋ錄ㄌㄨˋ自ㄗˋ己ㄐㄧˇ還ㄏㄞˊ有ㄧㄡˇ多ㄉㄨㄛ少ㄕㄠˇ事ㄕˋ情ㄑㄧㄥˊ沒ㄇㄟˊ有ㄧㄡˇ做ㄗㄨㄛˋ。

詞ㄘˊ語ㄩˇ：　事ㄕˋ情ㄑㄧㄥˊ、　事ㄕˋ業ㄧㄝˋ

解ㄐㄧㄝˇ釋ㄕˋ：　像ㄒㄧㄤˋ父ㄈㄨˋ親ㄑㄧㄣ的ㄉㄜ˙臉ㄌㄧㄢˇ，上ㄕㄤˋ方ㄈㄤ的ㄉㄜ˙點ㄉㄧㄢˇ是ㄕˋ眼ㄧㄢˇ睛ㄐㄧㄥ；下ㄒㄧㄚˋ方ㄈㄤ的ㄉㄜ˙撇ㄆㄧㄝˇ是ㄕˋ鬍ㄏㄨˊ子ㄗ˙。

詞ㄘˊ語ㄩˇ：　父ㄈㄨˋ親ㄑㄧㄣ、　父ㄈㄨˋ母ㄇㄨˇ

解ㄐㄧㄝˇ釋ㄕˋ：　像ㄒㄧㄤˋ一ㄧ列ㄌㄧㄝˋ火ㄏㄨㄛˇ車ㄔㄜ穿ㄔㄨㄢ過ㄍㄨㄛˋ兩ㄌㄧㄤˇ座ㄗㄨㄛˋ山ㄕㄢ跑ㄆㄠˇ出ㄔㄨ來ㄌㄞˊ了ㄌㄜ˙。

詞ㄘˊ語ㄩˇ：　出ㄔㄨ口ㄎㄡˇ、　出ㄔㄨ來ㄌㄞˊ

解ㄐㄧㄝˇ釋ㄕˋ：　像ㄒㄧㄤˋ運ㄩㄣˋ動ㄉㄨㄥˋ員ㄩㄢˊ宣ㄒㄩㄢ誓ㄕˋ時ㄕˊ，　將ㄐㄧㄤ手ㄕㄡˇ放ㄈㄤˋ在ㄗㄞˋ心ㄒㄧㄣ臟ㄗㄤˋ前ㄑㄧㄢˊ，宣ㄒㄩㄢ讀ㄉㄨˊ遵ㄗㄨㄣ守ㄕㄡˇ運ㄩㄣˋ動ㄉㄨㄥˋ規ㄍㄨㄟ則ㄗㄜˊ。

詞ㄘˊ語ㄩˇ：　必ㄅㄧˋ須ㄒㄩ、　必ㄅㄧˋ要ㄧㄠ

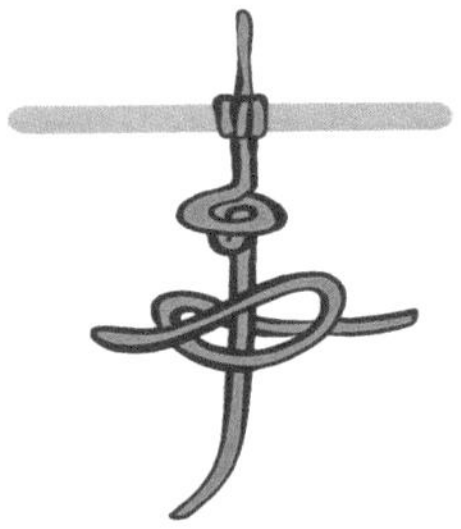

國字演變圖

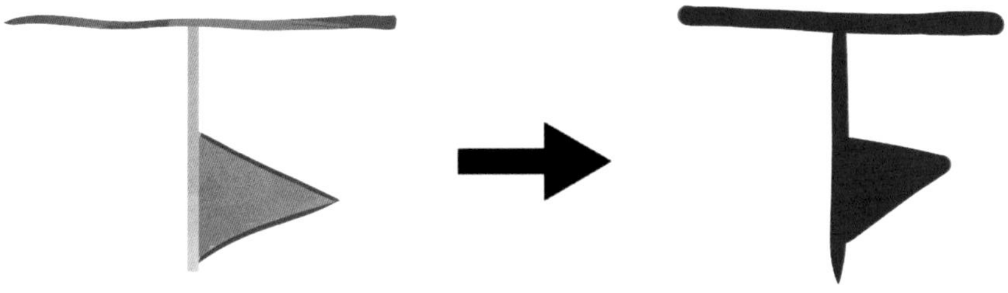

→ 下

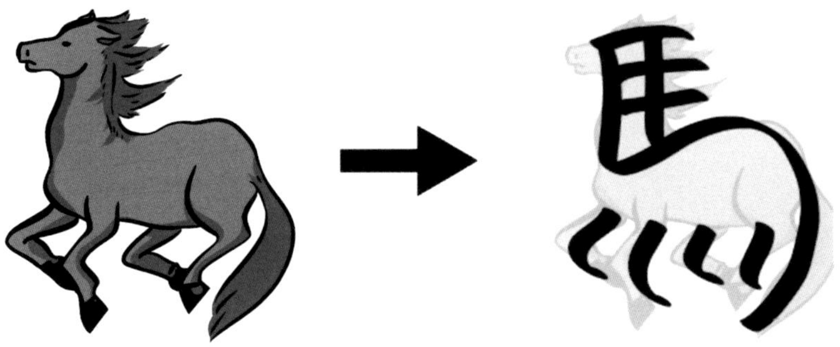

→ 馬

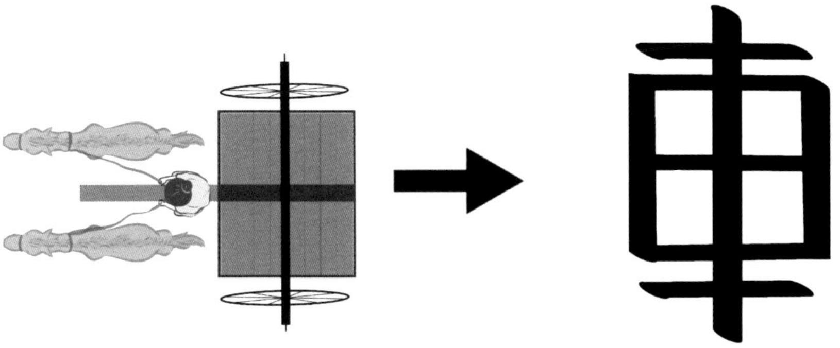

→ 車

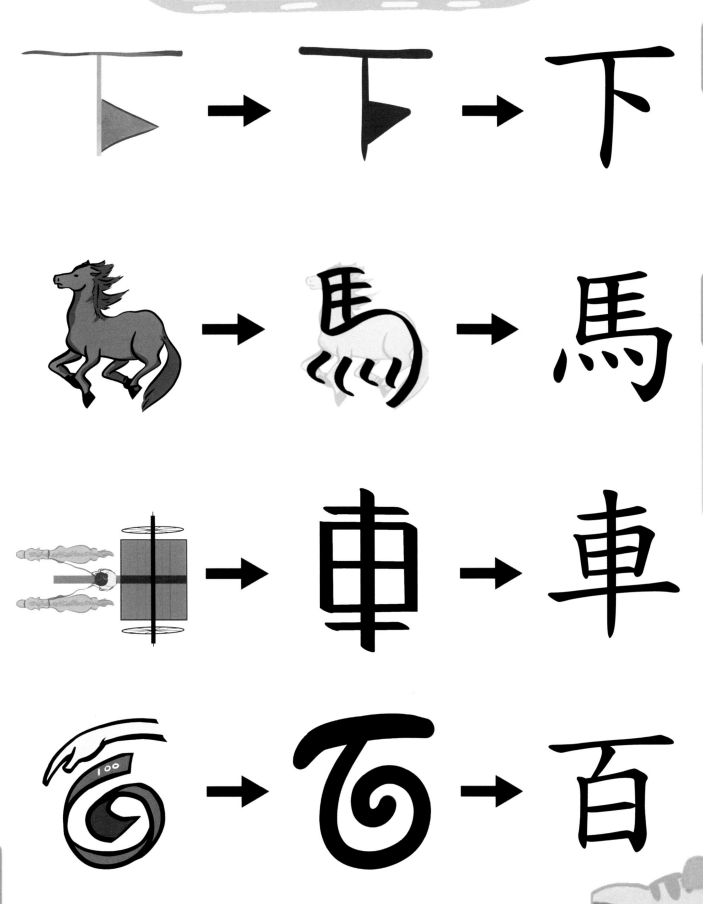

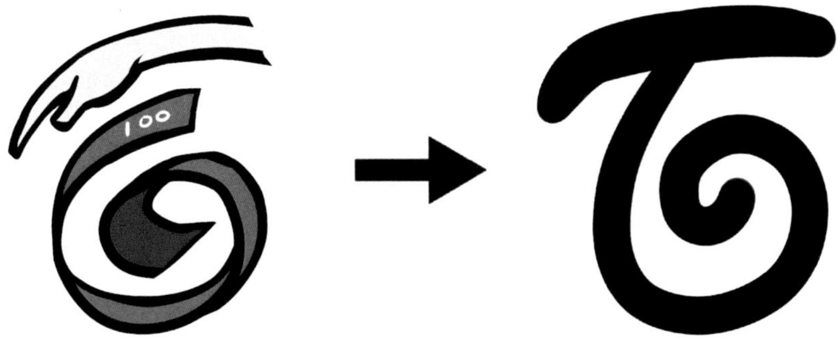

→ 百

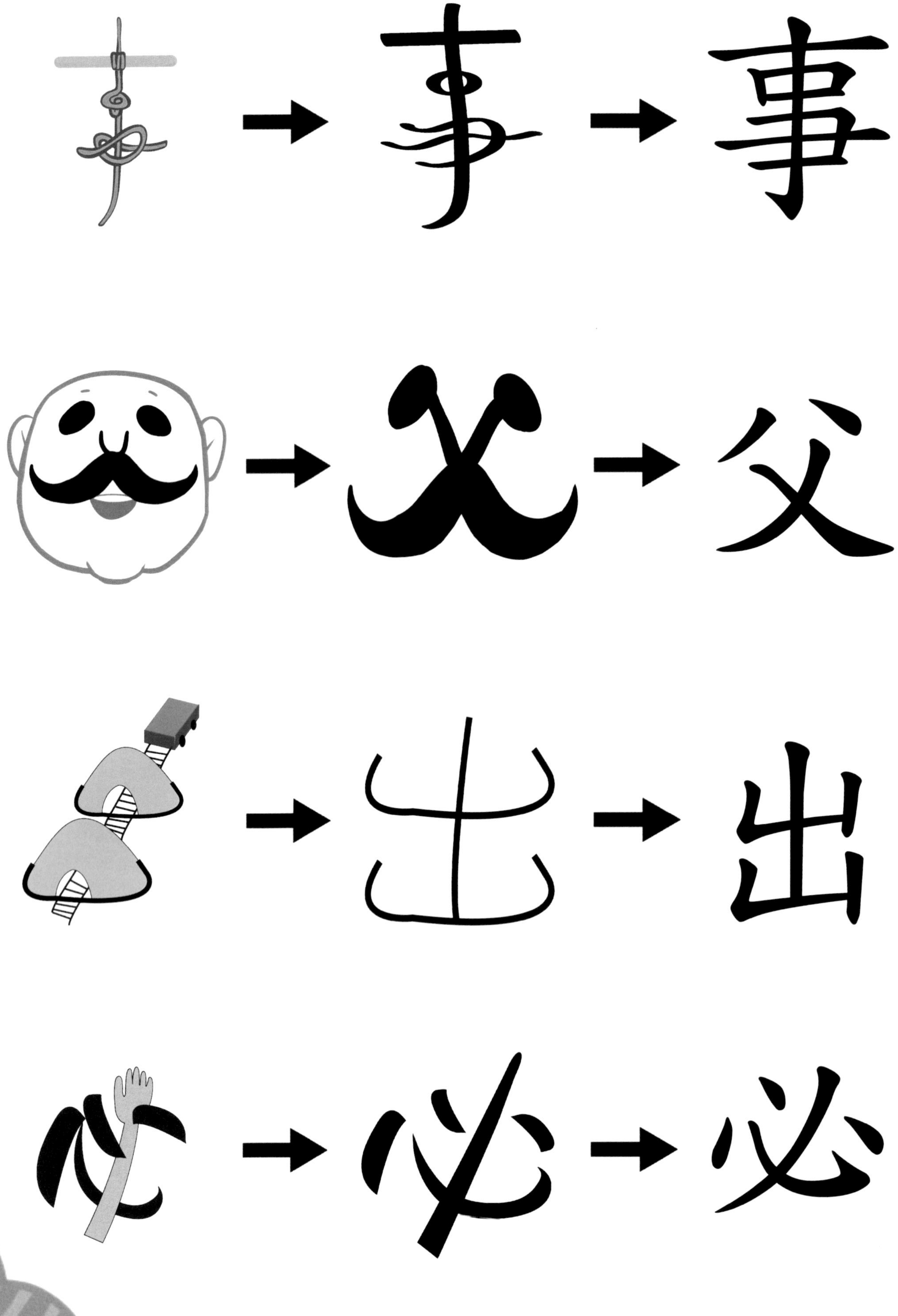
事
父
出
必

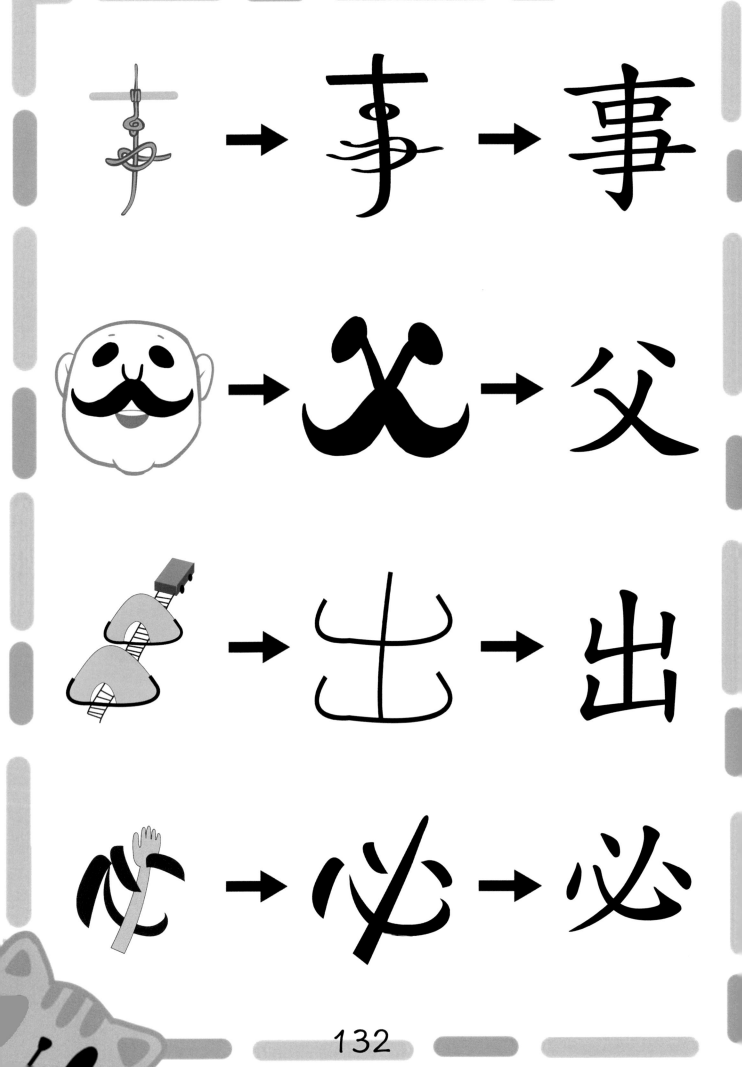

我可以做到！

完成任務可以請爸爸媽媽在空格處貼上小饅頭貼紙。

長輩請我們坐下後，才坐下。	
以剛好能聽清楚的音量和長輩說話。	
長輩叫我們時，快速走到長輩面前。	
和長輩說完話，離開時慢慢走。	
長輩問話時，站起來回答，看著長輩的眼睛認真聆聽。	
對待長輩像對爸爸和媽媽一樣尊敬。對朋友都一樣友愛。	

貼紙在第142頁。

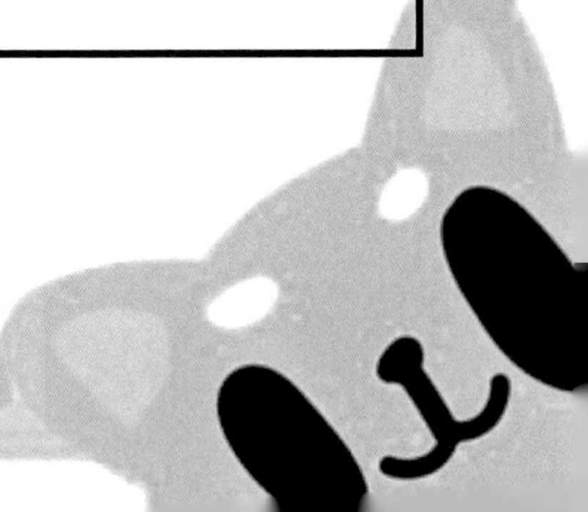

給ㄍㄟˇ爸ㄅㄚˋ媽ㄇㄚ的ㄉㄜ˙話ㄏㄨㄚˋ

本書為親子共讀書籍，親子共讀能增進孩子的語文理解及親子關係。爸媽可運用交互教學法的四個策略：(1)預測、(2)澄清、(3)提問、(4)摘要，幫助孩子建立閱讀學習鷹架。

在開始閱讀故事之前，爸媽先帶領孩子進行「封面預測」，透過書名與圖片預測故事內容；在閱讀故事的同時，爸媽適時停下腳步，讓孩子「預測」後面的故事發展，以提升孩子的閱讀動機。當孩子遇到閱讀困難時，「澄清」很重要，爸媽引導孩子透過上下文意或插圖來推測正確的意思，或請孩子查字典找答案。讀完故事後，爸媽請孩子「提問」，此時孩子會努力的反覆閱讀文本，找出可詢問的問題，爸媽可引導孩子使用5W1H1♥ (who, when, where, what, why, how, 心情)來提問，藉此促進對文意的了解。

Who ：「有哪些人物?」

When：「發生在什麼時候?」

Where：「在什麼地方?」

What：「發生了什麼事?」

Why：「原因是什麼?」

How：「如何處理?」

心情：「人物的心情如何？」

最後，爸媽引導孩子試著「摘要」文本內容，用自己的話說出大意，以檢視孩子是否能理解文本重點。

透過本書的《弟子規》品德故事，孩子能夠在快樂閱讀的同時，學會《弟子規》的重要內涵。本書結合「鍵接圖識字教學策略」，從《弟子規》中挑選重要且簡單的字，並加入生活常用字。使文字圖像化，讓孩子透過可愛且有趣的圖片來學習國字，以提升孩子學習國字的興趣及識字量。本書搭配自我檢核表（我可以做到），孩子若達成，爸媽可協助貼上書末的貼紙，以茲鼓勵。

在共讀的過程中，爸媽非以上對下的方式帶領，而是成為孩子的「學習夥伴」，在閱讀的過程中不斷的與孩子對話並給予鼓勵與讚美；一同學習與討論，彼此分享想法，且接納對方不同的想法；藉此提升孩子的溝通能力、建立緊密的親子關係。

本冊建議之問題討論：

1. 你平常怎麼和爸媽相處？
2. 你覺得孝順是什麼？
3. 你做過哪些孝順的事？
4. 你以後想做哪些孝順的事？
5. 你和兄弟姐妹或朋友相處時，因為什麼事情而吵架？
6. 如果和兄弟姐妹或朋友吵架，要怎麼和好？
7. 如果有人想要玩你的玩具，你會怎麼做？
8. 你覺得怎麼做能和兄弟姐妹或朋友的感情更好？

（將兄弟姐妹代換成家庭成員的稱謂，如：哥哥）

《弟子規》放大鏡

〈總序〉

弟子規，聖人訓；
首孝弟，次謹信。
汎愛眾，而親仁；
有餘力，則學文。

〈出則弟〉

兄道友，弟道恭；
兄弟睦，孝在中。
財物輕，怨何生；
言語忍，忿自泯。
或飲食，或坐走；
長者先，幼者後。

長呼人，即代叫；
人不在，己即到。
稱尊長，勿呼名；
對尊長，勿見能。
路遇長，疾趨揖；
長無言，退恭立。
長者立，幼勿坐；
長者坐，命乃坐。
尊長前，聲要低；
低不聞，卻非宜。
進必趨，退必遲；
問起對，視勿移。
事諸父，如事父；
事諸兄，如事兄。

文ㄨㄣˊ字ㄗˋ字ㄗˋ卡ㄎㄚˇ

搭ㄉㄚ配ㄆㄟˋ第ㄉㄧˋ26頁ㄧㄝˋ「猜ㄘㄞ猜ㄘㄞ看ㄎㄢˋ這ㄓㄜˋ是ㄕˋ什ㄕㄣˊ麼ㄇㄜ字ㄗˋ？」使ㄕˇ用ㄩㄥˋ。

✂ 請ㄑㄧㄥˇ沿ㄧㄢˊ黑ㄏㄟ線ㄒㄧㄢˋ剪ㄐㄧㄢˇ下ㄒㄧㄚˋ。

在 ㄗㄞˋ	首 ㄕㄡˇ	文 ㄨㄣˊ
力 ㄌㄧˋ	友 ㄧㄡˇ	愛 ㄞˋ
人 ㄖㄣˊ	子 ㄗˇ	有 ㄧㄡˇ

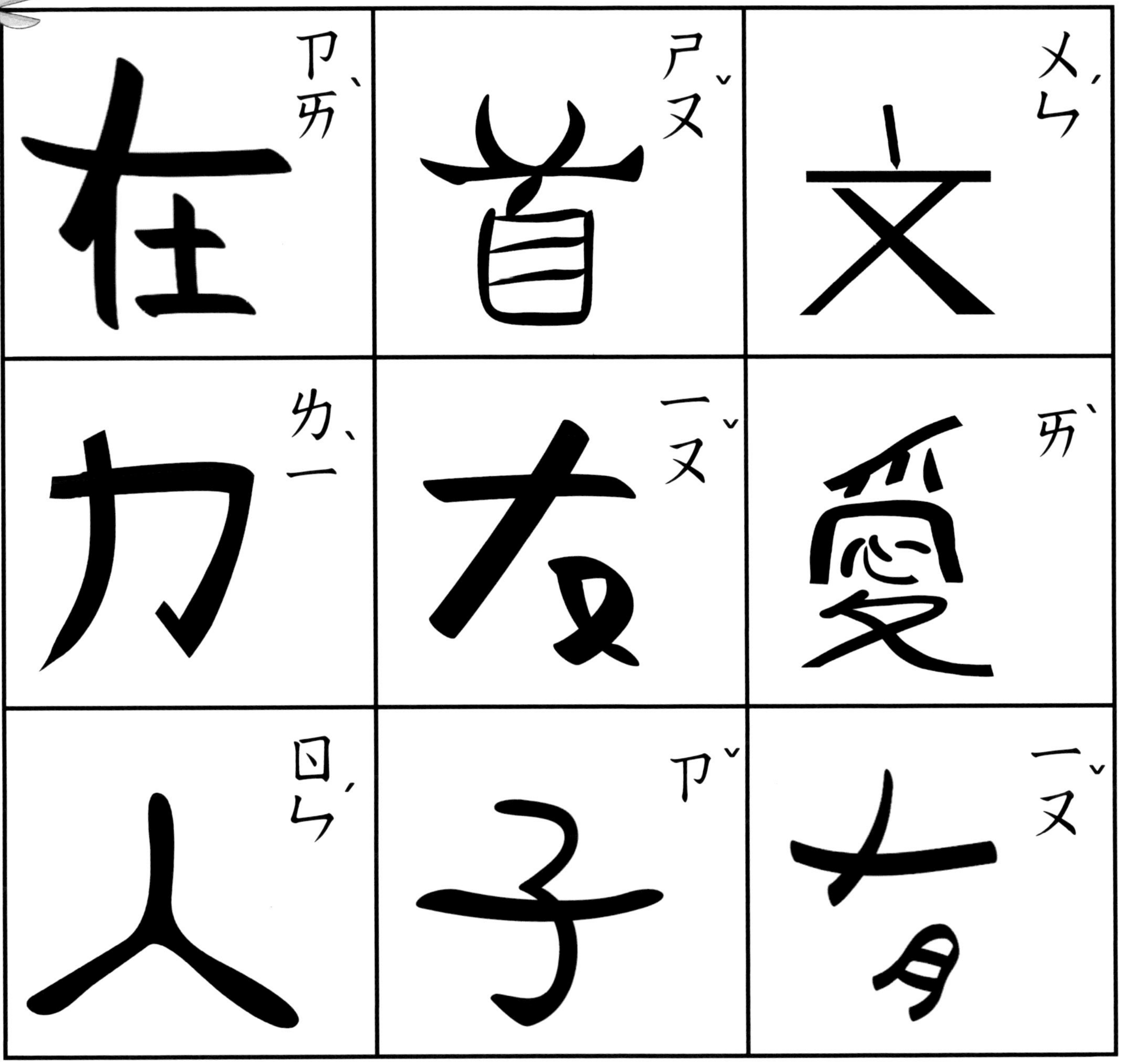

附（ㄈㄨˋ）件（ㄐㄧㄢˋ）

文（ㄨㄣˊ）字（ㄗˋ）字（ㄗˋ）卡（ㄎㄚˇ）

搭（ㄉㄚ）配（ㄆㄟˋ）第（ㄉㄧˋ）54頁（ㄧㄝˋ）「猜（ㄘㄞ）猜（ㄘㄞ）看（ㄎㄢˋ）這（ㄓㄜˋ）是（ㄕˋ）什（ㄕㄣˊ）麼（ㄇㄜ˙）字（ㄗˋ）？」使（ㄕˇ）用（ㄩㄥˋ）。

請（ㄑㄧㄥˇ）沿（ㄧㄢˊ）黑（ㄏㄟ）線（ㄒㄧㄢˋ）剪（ㄐㄧㄢˇ）下（ㄒㄧㄚˋ）。

車（ㄔㄜ）	言（ㄧㄢˊ）	有（ㄧㄡˇ）
在（ㄗㄞˋ）	生（ㄕㄥ）	友（ㄧㄡˇ）
不（ㄅㄨˋ）	中（ㄓㄨㄥ）	出（ㄔㄨ）

附ㄈㄨˋ件ㄐㄧㄢˋ

文ㄨㄣˊ字ㄗˋ字ㄗˋ卡ㄎㄚˇ

搭ㄉㄚ配ㄆㄟˋ第ㄉㄧˋ90頁ㄧㄝˋ「猜ㄘㄞ猜ㄘㄞ看ㄎㄢˋ這ㄓㄜˋ是ㄕˋ什ㄕㄣˊ麼ㄇㄜ字ㄗˋ？」使ㄕˇ用ㄩㄥˋ。

✂ 請ㄑㄧㄥˇ沿ㄧㄢˊ黑ㄏㄟ線ㄒㄧㄢˋ剪ㄐㄧㄢˇ下ㄒㄧㄚˋ。

立 ㄌㄧˋ	己 ㄐㄧˇ	見 ㄐㄧㄢˋ
下 ㄒㄧㄚˋ	人 ㄖㄣˊ	艮 ㄕˊ
不 ㄅㄨˋ	者 ㄓㄜˇ	走 ㄗㄡˇ

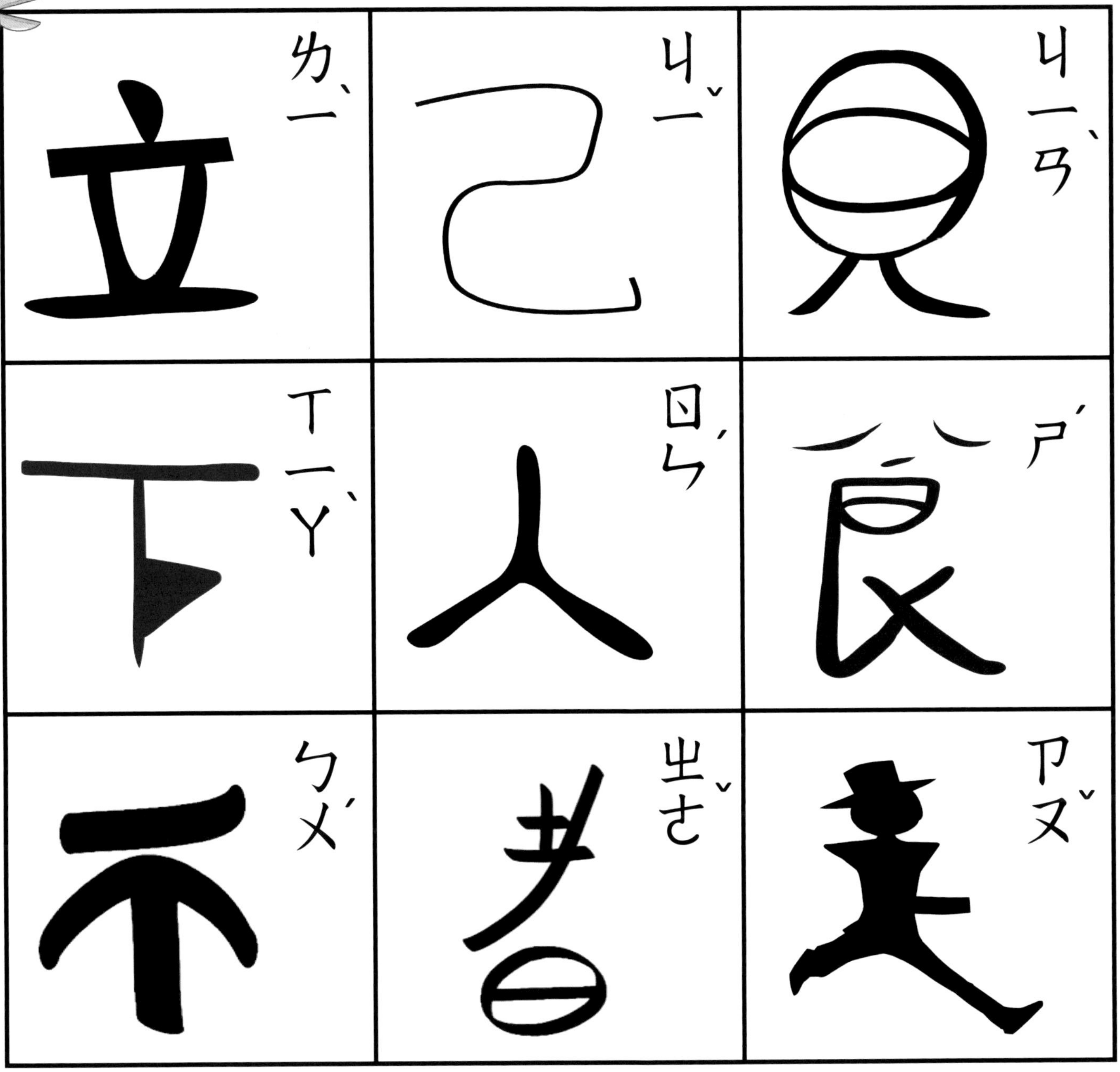

文ㄨㄣ字ㄗˋ字ㄗˋ卡ㄎㄚˇ

搭ㄉㄚ配ㄆㄟˋ第ㄉㄧˋ122頁ㄧㄝˋ「猜ㄘㄞ猜ㄘㄞ看ㄎㄢˋ這ㄓㄜˋ是ㄕˋ什ㄕㄣˊ麼ㄇㄜ字ㄗˋ?」使ㄕˇ用ㄩㄥˋ。

✂ 請ㄑㄧㄥˇ沿ㄧㄢˊ黑ㄏㄟ線ㄒㄧㄢˋ剪ㄐㄧㄢˇ下ㄒㄧㄚˋ。

ㄔㄨ	ㄅㄞˇ	ㄇㄚˇ
出	百	馬
ㄔㄜ	ㄕˋ	ㄈㄨˋ
車	事	父
ㄒㄧㄚˋ	ㄅㄧˋ	ㄕㄡˇ
下	必	首

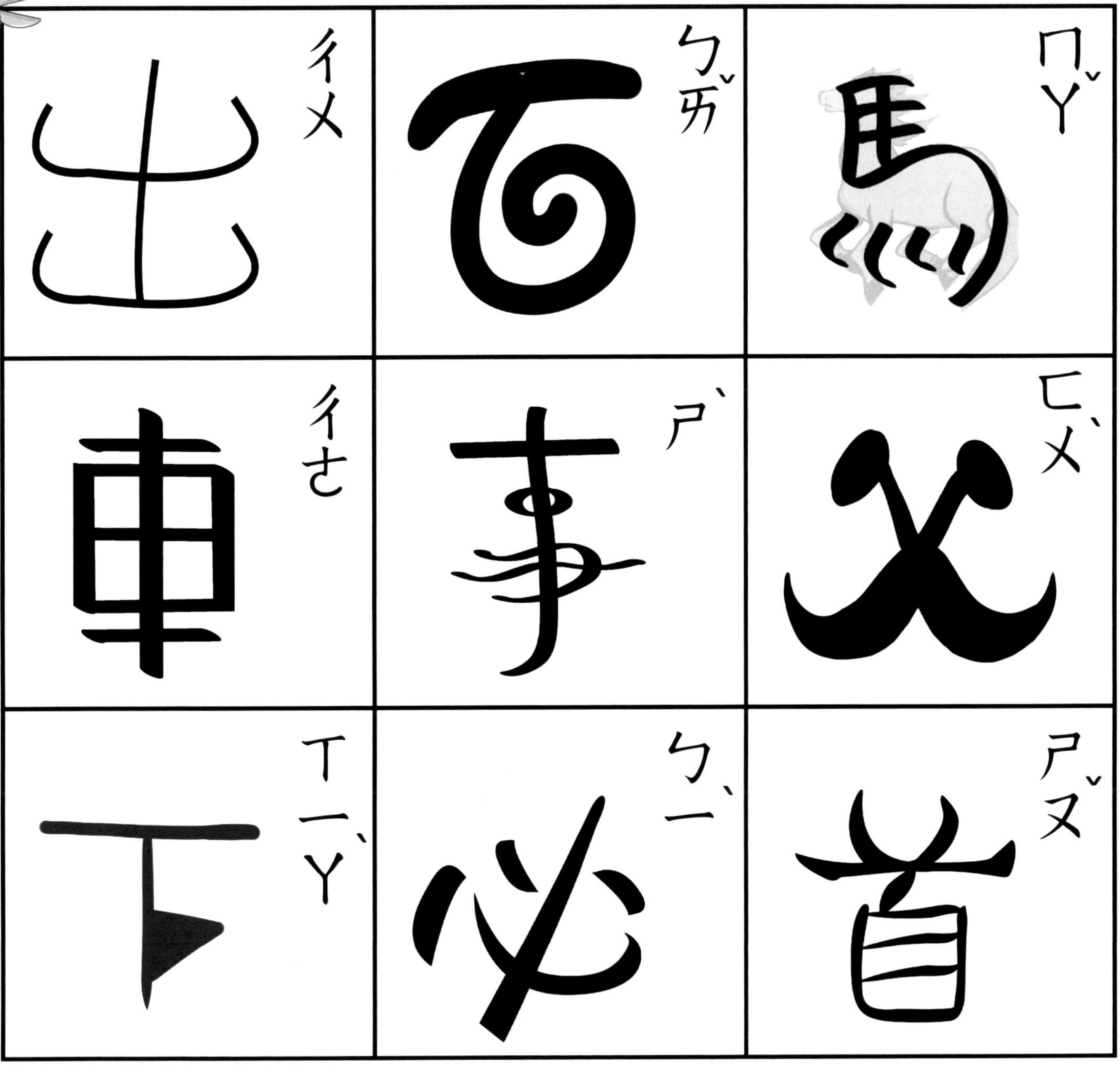